A transferência na clínica reichiana

CIP-BRASIL. CATALOGAÇÃO NA PUBLICAÇÃO
SINDICATO NACIONAL DOS EDITORES DE LIVROS, RJ

W136t

Wagner, Claudio Mello
A transferência na clínica reichiana / Claudio Mello Wagner. - [2. ed.]. - São Paulo : Summus, 2022.
176 p. ; 21 cm.

Inclui bibliografia
ISBN 978-65-5549-076-3

1. Transferência (Psicologia). 2. Psicanálise. I. Título.

22-77966 CDD: 150.1952
CDU: 159.964.2

Gabriela Faray Ferreira Lopes - Bibliotecária - CRB-7/6643

A transferência na clínica reichiana

CLAUDIO MELLO WAGNER

summus editorial

Editora executiva: **Soraia Bini Cury**
Edição: **Janaína Marcoantonio**
Revisão: **Mariana Marcoantonio**
Capa: **Studio DelRey**
Projeto gráfico e diagramação: **Crayon Editorial**

Summus Editorial
Departamento editorial
Rua Itapicuru, 613 – 7º andar
05006-000 – São Paulo – SP
Fone: (11) 3872-3322
http://www.summus.com.br
e-mail: summus@summus.com.br

Atendimento ao consumidor
Summus Editorial
Fone: (11) 3865-9890

Vendas por atacado
Fone: (11) 3873-8638
e-mail: vendas@summus.com.br

Impresso no Brasil

Para meus filhos
Uirã e Aruã

Sumário

APRESENTAÇÃO . . . 9
INTRODUÇÃO . . . 13

1 PSICANÁLISE, ECONOMIA SEXUAL E VEGETOTERAPIA CARACTEROANALÍTICA . . . 23
Psicanálise e história . . . 24
Psicanálise e economia sexual . . . 32
Sexualidade . . . 32
Desenvolvimento psicossexual . . . 36
Genitalidade . . . 39
Função do orgasmo . . . 43
Caráter . . . 47
Psicanálise e vegetoterapia caracteroanalítica . . . 55
A técnica psicanalítica . . . 55
A vegetoterapia caracteroanalítica . . . 58
Vegetoterapia caracteroanalítica e outras psicoterapias corporais . . . 66
Vegetoterapia caracteroanalítica . . . 68
Orgonoterapia . . . 74
Bioenergética . . . 77
Biodinâmica . . . 82
Biossíntese . . . 87
Retorno a Reich . . . 89

2 TRANSFERÊNCIA . . . 97
Conceito de transferência . . . 97
Aspectos da história do conceito de transferência . . . 103
Aspectos econômicos da transferência . . . 108

3 A TRANSFERÊNCIA NA VEGETOTERAPIA
CARACTEROANALÍTICA 123
Considerações iniciais 123
Casos clínicos 130

CONSIDERAÇÕES FINAIS 149
NOTAS 161
REFERÊNCIAS BIBLIOGRÁFICAS 170

Apresentação

As contribuições de Claudio Mello Wagner ao terreno psicorporal têm-se evidenciado pela constante preocupação em alicerçar teoricamente a clínica reichiana, refletindo sobre suas peculiaridades e sua história. O convite para fazer a apresentação de seu terceiro livro deu-se oficialmente em um bar que, segundo ele, tinha no cardápio bolinhos de bacalhau fantásticos. Assim, vi-me diante de uma proposta duplamente saborosa.

Falar sobre a trajetória de Claudio é também contar sobre a minha. Ele e eu temos sido como duas retas paralelas: trilhamos, lado a lado, o mesmo caminho, mas quase nunca nos encontramos — *quase nunca*, pois, nos meandros da natureza humana, até as retas paralelas se cruzam, às vezes...

Há aproximadamente dez anos, autoincumbimo-nos da árdua tarefa de "arrumar a casa" reichiana. Os psicorporalistas brasileiros não tinham, até então, uma grande produção teórica, o que prejudicava a divulgação de suas ideias e métodos de trabalho, além de cercar de mistérios a prática que realizavam. Nossa missão era explicitar os conceitos que usualmente empregavam de forma tácita. Eu me embrenhei, em meu mestrado, pela bioenergética, buscando rastrear o lugar da palavra na obra de Lowen. Claudio, pouco antes de mim, fizera um trabalho arqueológico de grande fôlego, mostrando que a expulsão de Reich da Sociedade de Psicanálise dera-se por motivos políticos, não teóricos. Esse estudo originou seu primeiro livro.

Nessa obra, Mello Wagner denunciou o conformismo e o conservadorismo arraigados nos círculos psicanalíticos com a precisão de cirurgião e a humildade de monge. Essa característica sempre esteve presente em sua maneira de fazer e falar sobre a clínica corporalista. Enquanto eu, em meus textos, alardeava a violência implícita e explícita de determinadas práticas bioenergéticas, ele escrevia e agia mais silenciosamente, evocando Reich e realizando com seus clientes trabalhos corporais pautados por respeito, carinho e suavidade.

Neste livro, Claudio trata da transferência no contexto psicorporal. As técnicas corporais podem ser, segundo ele, eficientes e eficazes no sentido de reavivar modelos de relações inconscientes que moldaram no cliente formas padronizadas e "engessadas" de ser — o caráter, como dizem os reichianos.

Ainda hoje um autor cercado de polêmicas, Reich é esse pensador proscrito que vagou pelo mundo em busca de ouvidos que o acolhessem, tentando lutar contra as doenças culturais que a sociedade criava para manter-se estática e neuroticamente equilibrada. Guerreiro e iconoclasta, fez muito mais inimigos do que amigos em sua furiosa passagem pela Terra. Criticá-lo é fácil, mas poucos o fazem com real conhecimento de causa. Na maioria das vezes, seus críticos e antipatizantes apenas repetem jargões desgastados e mitos infundados.

A proposta fundamental da vegetoterapia caracteroanalítica parte dos primeiros textos de Reich, quando ele ainda era um psicanalista "aderido", alertando seus colegas para a importância do trabalho com as resistências caracterológicas e a transferência negativa. Contudo, uma das principais contribuições reichianas deu-se a um passo além da psicanálise clássica: foi o fato de entender o ponto de vista econômico libidinal a partir do corpo e da vivência sexual plena.

Reich concebia mente e corpo como instâncias mutuamente influenciáveis e equivalentes. O sofrimento psíquico também se inscreve no corpo, e entender as "memórias da carne" é função do terapeuta psicorporal, não importa qual seja sua escola. Keleman, Lowen, Boadella, Boyesen, os principais seguidores das ideias de Reich, trabalham sob essa égide. Evidentemente, há divergências conceituais e técnicas importantes entre eles, mas todos gravitam ao redor das mesmas premissas. É isso que nos aponta Mello Wagner com um texto claro, didático e bem-humorado, mostrando grande domínio conceitual.

Claudio toma o leitor pela mão, conduzindo-o ao campo da vegetoterapia caracteroanalítica, mapeando o caminho, definindo conceitos, questionando as egrégoras psicorporais (as "escolinhas"), os "corporalistas de carteirinha" e seus gurus. E faz tudo isso com a tranquilidade e a despretensão de um passeio dominical. Por fim, nos leva ao objetivo primordial de seu livro: entender o fenômeno da transferência na clínica psicorporal lastreando-o com a compreensão psicanalítica.

Se pensarmos nas polaridades *cura pela fala* e *cura pelo corpo*, encontraremos inúmeros matizes possíveis de trabalho clínico com orientação reichiana: há os terapeutas "mais" corporalistas e os "mais" verbais. Para Claudio, todas essas abordagens são válidas, desde que devidamente orientadas pela análise do caráter. O caminho que ele nos mostra é simplesmente o seu, a maneira terna, criteriosa e engajada como vem conduzindo sua clínica nos últimos 20 anos.

Se os bolinhos de bacalhau — realmente deliciosos! — satisfizeram meu paladar, este livro aguçou meu espírito de pesquisador sem saciá-lo por completo. Acredito, aliás, que seja esta a função de um bom texto: assanhar o desejo do leitor, e não esgotá-lo. Essa fome nos é necessária para a vida. Essa fome *é* a vida. E a linguagem deve imitá-la.

Bom apetite!

PROF. DR. MARCOS A. T. CIPULLO
Professor e supervisor clínico das
Universidades Bandeirantes
(Uniban) e Paulista (Unip)

Introdução

O PRESENTE TRABALHO TRATA da transferência na vegetoterapia caracteroanalítica (VCA).[1] Procuro demonstrar, por meio de casos clínicos, a tese segundo a qual a elaboração da transferência na relação psicoterapêutica pode ser agilizada e facilitada quando se faz uso da abordagem corporal como instrumento nesse processo.

Existem, porém, alguns pontos que precisam ser elucidados antes da apresentação e discussão dos referidos casos clínicos. Mesmo sob o risco de tornar esta introdução um tanto longa, considero necessária uma explanação prévia do contexto em que surge este estudo. A omissão deste esclarecimento poderia torná-lo incompreensível. Isso porque, embora o assunto em tese verse sobre um aspecto, ou melhor, uma importante questão da prática clínica (a transferência), sabemos que existem sistemas e teorias que regem, dos bastidores, o acontecer clínico propriamente dito. No caso da VCA, o referencial teórico não é único, mas duplo: psicanálise e economia sexual. Essa confluência de diferentes referenciais teóricos já requer alguma explicação. Além disso, devemos reconhecer que, diferentemente da psicanálise, a economia sexual não conta, mesmo hoje, com uma ampla divulgação — o que a dispensaria de uma apresentação inicial. Como ainda é pouco conhecida, é preciso fazer alguns esclarecimentos.

O primeiro deles diz respeito aos termos envolvidos neste trabalho: transferência e VCA.

Em psicologia, o termo transferência remete-nos direta e imediatamente ao sistema de teorias conhecido como psicanálise. Foi Sigmund Freud quem, pela primeira vez, utilizou este termo para designar um determinado fenômeno psíquico, interferente tanto na relação psicoterapêutica quanto nas relações humanas de forma geral. O segundo termo, VCA, foi cunhado por Wilhelm Reich para nomear a sua prática clínica psicoterapêutica, referenciada por um sistema de teorias chamado economia sexual.

Temos então dois sistemas teóricos — psicanálise e economia sexual — e suas respectivas práticas psicoterapêuticas: psicanálise e VCA. E temos também que, se esses sistemas e práticas têm nomes diferentes, é porque aludem a teorias e técnicas distintas. Nesse sentido, a utilização de um conceito (a transferência) em um contexto outro que não o seu de origem (a psicanálise) é um fato que, por si só, como já assinalado, demandaria algumas explicações.

A dedução acima, de que os diferentes nomes indicam teorias e práticas distintas, embora muito aceita entre psicanalistas e psicorporalistas, não reflete, a meu ver, o resultado de um estudo cuidadoso dessas teorias e práticas e de suas inter-relações. As distinções entre psicanálise e economia sexual e entre psicanálise e VCA deveriam ser feitas a partir de critérios científicos e não de posições preconceituosas, apoiadas em versões tendenciosas da história, em limitações pessoais ou em defesas corporativistas de instituições bem estabelecidas. O pensamento e a pesquisa científica não podem estar atrelados a interesses institucionais e mercadológicos ou submetidos à tradição, sob o risco de se tornarem instrumentos a serviço de uma nova ideologia ou religião.

Diferenças existem e precisam ser consideradas. E mesmo antes de considerar as diferenças entre os sistemas aqui enfocados, devemos lembrar que estes sistemas já apresentam diferentes possibilidades de interpretação e recortes. Nem a psicanálise nem a economia sexual se constituem como ciências exatas e monolíticas. Permitem, pelo contrário, o surgimento de diferentes vertentes a partir de seus *corpora* fundadores.[2] Assim, em psicanálise, temos as correntes kleiniana, lacaniana, winnicottiana etc., e a partir da economia sexual vemos surgir a VCA, a bioenergética, a biodinâmica e a biossíntese, entre outras.

O exposto acima é um preâmbulo para a explicitação da minha posição em relação à psicanálise e à economia sexual. Tanto uma quanto outra são utilizadas neste trabalho como referências teóricas e clínicas, e não como reverências. Pois são, ambas, construções científicas extremamente consistentes e coerentes, e que se constituem como marco inicial de minha prática psicoterapêutica atual. É como *simpatizante* e não como *militante* destas teorias que me autorizo a utilizá-las e recortá-las segundo os ditames de minha clínica e de meu pensamento.

Questões referentes ao status da psicologia e psicoterapia corporal reichiana, frente à psicanálise, são questões menores. Interessam a pessoas preocupadas com grifes, marcas, árvores genealógicas e outros fetiches. A pertinência ou não das contribuições da economia sexual para a compreensão do fenômeno humano e da VCA, como proposta psicoterapêutica, não pode ser feita a partir de opiniões não avalizadas pela experiência. Quem, por razões pessoais, não se dispuser a praticar uma psicoterapia corporal, que assim o faça. Mas que abra mão de realizar teorias a esse respeito. Milhões e milhões de besouros voam diariamente, há milhares de anos, mesmo a despeito de cálculos e teorias em aerodinâmica "provarem" que eles são incapazes de voar.

Psicanálise e economia sexual são construções teóricas, e não latifúndios. O homem, o psiquismo, a sexualidade, a unidade soma-psique, não são propriedades desta ou daquela ciência. O fenômeno humano é um só. Os enfoques são diferentes e parciais. Sempre.

Em um primeiro momento, a psicanálise ampliou o conhecimento a respeito do homem, desvendando uma nova faceta sua: o inconsciente. Depois, a economia sexual esclareceu o elo entre os processos somáticos e psíquicos: a função do orgasmo ou o funcionamento pulsátil do vivo e suas expressões psíquicas. Aquilo que poderia levar a uma ampliação da compreensão do humano transformou-se em disputa teórica de enfoques. Em vez de termos dois potentes holofotes contribuindo para iluminar o mesmo objeto de forma mais nítida e matizada, vemos um holofote se dirigindo contra o outro, deixando o objeto na penumbra. Se, hoje, psicanálise e economia sexual parecem ter enfoques tão distintos, é preciso restabelecer a história e o percurso que levou a essa distinção, uma vez que a economia sexual surgiu do aprofundamento de um dos campos de pesquisa da psicanálise: os aspectos econômicos (libido, pulsões, excitações somáticas etc.) do funcionamento psíquico.

Restabelecer a história do desenvolvimento da economia sexual e da VCA é o objetivo do primeiro capítulo deste trabalho. Aqui procuro, em primeiro lugar, apresentar a economia sexual como o fruto de um triplo enraizamento: da biologia, da psicologia e da sociologia. Isso significa dizer que a economia sexual considera o fenômeno humano no entrecruzamento dessas três linhas de força.

Embora a psicanálise tenha levado em conta esse entrecruzamento em suas primeiras teorias (vejam-se, nesse sentido, artigos de Freud como "Três ensaios sobre a teoria da sexualidade"[3] e "A moral sexual 'cultural' e o nervosismo moderno"[4]), foi paulatinamente afastando delas as interferências da biologia na psicologia e, mais marcadamente, das influências sociais e culturais em suas considerações sobre a formação e o funcionamento da personalidade humana. (Ao transferir o conflito básico humano entre sexualidade e cultura para o conflito intrapsíquico entre eros e thanatos, a psicanálise reduziu a importância dos aspectos socioculturais na dinâmica psíquica. "Além do princípio do prazer"[5] é o trabalho de Freud mais significativo dessa alteração.)

A economia sexual, se podemos assim dizer, permanece fiel a algumas teorias psicanalíticas. Ela procura aprofundar o conhecimento a respeito dos vínculos existentes entre o biológico, o psicológico e o social. Sua referência primeira é a psicanálise, com suas teorias sobre sexualidade, desenvolvimento psicossexual, genitalidade, caráter etc. Sua preocupação inicial é com a comprovação biofísica da dimensão psíquica das teorias psicanalíticas, isto é, com os aspectos econômicos das teorias psicanalíticas. Ela não se opõe às teorias psicanalíticas a respeito do funcionamento psíquico (inconsciente, repressão, transferência etc.). Em seu curso de desenvolvimento, a economia sexual, antes de ser assim designada, encontrou no orgasmo genital o fenômeno central da teoria sexual. Contudo, essa descoberta já não pode mais ser aceita pela psicanálise. Motivações de ordem científica, política e pessoal atuaram de modo a afastar Reich dos quadros psicanalíticos (teóricos e institucionais).

Da exclusão de Reich (e de suas teorias) da psicanálise, surgiu a economia sexual, então apresentada como uma ciência independente de sua matriz. Contudo, não se podem deixar de ver, mesmo considerando psicanálise e economia sexual como ciências distintas, os vínculos ainda existentes entre uma e outra. O que quero mostrar aqui é que as teorias fundamentais da economia sexual resultam de pesquisas clínicas e laboratoriais de hipóteses teóricas psicanalíticas. Para uma melhor apreciação deste item, convém lembrar e sempre ter presente a perspectiva científica reichiana de buscar comprovações físicas e biológicas da metapsicologia freudiana. Ao menos em princípio e na sua origem, esta é a perspectiva de Reich, de contribuição e ampliação do saber psicanalítico. E, em princípio, é esta a minha filiação à economia sexual: compreender mais em detalhe os vínculos e relações entre o econômico e o dinâmico, entre o somático e o psíquico, entre os afetos e as representações mentais. A obtusão do pensamento, com a consequente redução do humano a processos econômicos (biofisiológicos), não faz parte de minha filiação à economia sexual.

Este é, portanto, o objetivo da primeira parte do primeiro capítulo deste trabalho: mostrar o contexto histórico e científico em que surgem as primeiras teorias da futura economia sexual. Desta apresentação, poderemos perceber quais foram os recortes realizados por Reich sobre a psicanálise, isto é, quais teorias psicanalíticas influenciaram o desenvolvimento da economia sexual.

A segunda parte do primeiro capítulo visa apresentar a prática clínica vegetoterapêutica. Aqui, também, a prática psicanalítica é tomada como referência inicial e contraponto.

A mais séria objeção feita à psicanálise é o tempo excessivamente longo requerido para o seu processo de tratamento. O mundo moderno tem como característica a velocidade; transportes mais velozes, comunicações mais rápidas, *fast-foods,* tratamentos imediatos. Na contramão da história, o tratamento psicanalítico passou de três a seis meses para um período não inferior a uma década. Antes que esses dados caiam nas mãos de ferrenhos opositores da psicologia profunda em geral, convém lembrar dois pontos importantes. Ao descobrir o inconsciente, a psicanálise imaginava que ele fosse algo como um lago de dois ou três metros de profundidade e que bastaria trazer à tona alguns de seus elementos excêntricos. Com o tempo, ela se deu conta de que esse lago escondia profundidades abissais e de que não seria suficiente trazer à tona os elementos inconscientes. Outro ponto importante, e que contribuiu para o alargamento da duração do processo psicanalítico, foi a descoberta da dinâmica de transferência. Essas descobertas justificam em larga medida o aumento do tempo da psicoterapia: perdeu-se em velocidade, mas ganhou-se em profundidade e em eficácia. O grande desafio que a VCA deve enfrentar é, a meu ver, aumentar a velocidade do tratamento (isto é, torná-lo menos extenso no tempo) sem perder profundidade e eficiência. A proposta da VCA de mobilizar o corpo, aumentar as excitações para favorecer a emergência de elementos inconscientes, deve ser apreciada com rigor e carinho. A entrada do corpo na cena analítica não pode ser desdenhada por fatores de ordem moral ou estética. Tampouco pode ser aceita como estratégia antianalítica. Na VCA, considero o trabalho corporal como meio facilitador da percepção dos processos e conflitos emocionais. Na apresentação dos casos clínicos, poderemos apreciar a utilização do trabalho corporal na elaboração da transferência.

Quando falamos a respeito das práticas clínicas (psicanálise e VCA), existe um ponto que merece atenção especial, já mesmo nesta introdução. Ao apresentá-las, ressalto uma faceta de seus idealizadores: a ousadia em propor e experimentar algo novo. Tanto Freud (da hipnose à associação livre) quanto Reich (da associação livre à prática corporal) ousaram praticar novas técnicas de tratamento, diferentes das conhecidas até então. Nos dois casos, suponho, aquilo que lastreava em larga medida tais experiências era o desejo de encontrar uma técnica de tratamento mais eficaz e mais eficiente. Vejamos esses dois termos.

Utilizarei a designação de tratamento eficaz ao tratamento cujos efeitos e resultados perdurem, para além do tempo de tratamento e para além da pessoa do terapeuta. Nesse sentido, a palavra eficácia tem o mesmo significado tanto para a psicanálise quanto para a VCA. Em contrapartida, o termo eficiência será utilizado com conotações um pouco diferentes para a psicanálise e para a VCA.

No caso da psicanálise, veremos Freud buscando um procedimento terapêutico mais eficiente no sentido de poder, com esse procedimento, atender a uma maior variedade de pessoas e não só àquelas hipnotizáveis. Já no sentido de significar um tratamento mais rápido, o termo eficiência não pode ser aplicado à psicanálise. Como visto há pouco, e justificadamente, com a descoberta da magnitude do inconsciente e da dinâmica da transferência, o processo psicanalítico passou a se estender no tempo.

Com relação à VCA, o termo "eficiência" pode ser entendido de duas formas: como um tratamento válido para diferentes "tipos" de pessoas e como um tratamento mais rápido no tempo.

O último item do primeiro capítulo procura situar a VCA dentro do universo das psicoterapias corporais. Assim como da matriz psicanalítica freudiana surgiram várias escolas de psicanálise, também da economia sexual reichiana vemos partir diversas escolas psicorporalistas. A importância de destacar a VCA nesse universo não está em querer torná-la melhor que as outras. O sentido aqui é o de mapear, mesmo que de forma inicial e incompleta, o universo e a história das psicoterapias corporais. Não há dúvida de que Reich é o pioneiro neste campo. E que o nome VCA foi por ele utilizado até os idos de 1948, quando passou a denominar a sua prática de orgonoterapia. O que ainda não está bem estudado é o fato de Reich ter experimentado diferentes abordagens psicoterapêuticas sob o rótulo de VCA. Essas diversas experiências podem ter originado algumas das psicoterapias corporais atualmente conhecidas.

De posse desse mapeamento, o leitor poderá entender melhor a razão desta longa introdução e da explanação contida no primeiro capítulo: apresentar as origens da economia sexual como base teórica da(s) psicoterapia(s) reichiana(s) e de várias outras psicoterapias corporais, para então destacar a VCA como uma prática psicorporal que considera a transferência como o pivô do tratamento psicoterapêutico. Assim, o leitor também compreenderá por que utilizei o termo clínica reichiana no título do livro (como referência ao método reichiano de investigação do inconsciente via corpo), embora tenha usado o termo VCA ao longo do texto (relacionado à técnica de uma entre as escolas psicorporalistas).

O segundo capítulo procura realizar uma ligação entre os aspectos históricos e teóricos (capítulo 1) e a apresentação dos casos clínicos (capítulo 3).

Se a economia sexual mantém vínculos com a ciência psicanalítica, incorporando algumas teorias desta última, e se a VCA inclui a prática corporal no trabalho de análise de caráter, considerando, portanto, sobretudo a análise de resistências e a análise da transferência, podemos então passar à apresentação da outra personagem deste trabalho: a transferência.

Entre os estudiosos e praticantes das psicologias profundas, a transferência é reconhecidamente o tema clínico mais importante. Seja na prática clínica, seja na teoria da técnica, a transferência ocupa a maior parte dos debates, supervisões e escritos. Sendo assim, farei apenas uma breve apresentação do conceito de transferência, por intermédio de autores que se dedicam ao tema em grande profundidade. A seguir apresentarei um enfoque, que considero original, sobre a transferência: o enfoque econômico.

A transferência tem sido tratada como um fenômeno dinâmico. Fala-se em dinâmica da transferência. Nada mais justo, uma vez que o transferido é a representação de uma situação passada. Entretanto, sabemos com Freud e com Reich que não há dinâmica se não houver uma economia libidinal ou energética que alimente o seu fluxo. Ou, em outros termos, não há representação psíquica desprovida de carga afetiva. No caso da transferência, procuro mostrar que tal manifestação está longe de ser um capricho ou manha de alguns poucos pacientes com carência afetiva e que se trata, do ponto de vista econômico, de uma via de descarga libidinal. Nesse sentido — da expressão de uma necessidade energética —, a transferência deveria receber maior atenção por parte dos psicoterapeutas corporais que se propõem a operar com uma psicologia do profundo, das emoções, das paixões, das fantasias, das desconfianças, dos medos... e das idealizações.

O terceiro capítulo é dedicado à apresentação de casos clínicos. A partir deles, procuro mostrar que o trabalho corporal, quando bem empregado, escapa do campo da *atuação* e se transforma em *atividade* convergente na elaboração da transferência. Além disso, também percebemos como o trabalho corporal, ao promover o afloramento de conteúdos inconscientes, agiliza o processo terapêutico de forma geral.

O quarto capítulo é dedicado às considerações finais. Tendo sustentado a tese segundo a qual o fenômeno da transferência não só acontece na clínica psicorporal, como também pode ser abordado e elaborado com o auxílio da atividade corporal, passo a fazer indicações a respeito de situações específicas da transferência nesse tipo de trabalho. Dito de outra forma, este trabalho aborda a transferência na VCA em suas linhas gerais. Embora os casos clínicos apresentados evidenciem situações transferenciais específicas, e com isso suscitem inúmeras outras questões referidas ao tema da transferência e dos próprios casos, o objetivo deste livro é ressaltar o enorme potencial da abordagem corporal, no caso a VCA, na elaboração da transferência de forma específica, e no processo psicoterapêutico de forma geral.

Espero sinceramente que minhas limitações pessoais, aliadas à escassa fonte bibliográfica a respeito da transferência na abordagem corporal, não sirvam de motivo para se menosprezar a clínica corporal. Ao contrário, espero que este trabalho possa servir como introdução para futuras pesquisas e teses sobre o assunto. Nesse sentido, merecem atenção e estudos aprofundados temas como a presença do olhar na situação psicoterapêutica, a movimentação e a exposição corporal, o contato corporal, o erotismo — e, claro, a contratransferência.

1. Psicanálise, economia sexual e vegetoterapia caracteroanalítica

A PARTIR DE 1934, ano de sua exclusão dos quadros da Associação Psicanalítica Internacional (API), Reich passou a denominar de *economia sexual* o conjunto de suas teorias sobre sexualidade humana e suas relações com o psiquismo. Até essa data, Reich se considerava e era oficialmente considerado psicanalista. Todavia, em 1942, reconheceu que, por volta de 1928, as divergências entre suas teorias a respeito da importância da genitalidade no equilíbrio psíquico e a matriz psicanalítica já prenunciavam seu futuro rompimento com Freud.[6]

Em outro trabalho,[7] defendi a tese de que os fatores determinantes para a expulsão de Reich da API foram de ordem política, e não científica. E aqui surge o relato do próprio Reich de que suas divergências científicas com Freud o levaram a estabelecer a economia sexual como ciência independente da psicanálise. Antes de seguir averiguando as relações entre essas duas ciências e o desenvolvimento histórico e científico da primeira, gostaria de retomar alguns pontos de meu trabalho anterior para que se desfaça a aparente contradição.

Em primeiro lugar, é sempre bom relembrar o já sabidamente conhecido: não existe produção científica desengajada de seu contexto histórico, social, político, econômico e ideológico. Da matemática à psicanálise, qualquer produção científica é atravessada — ou está filtrada — pela subjetividade humana, a qual, por sua vez, já reflete o amálgama das influências sociais, históricas e ideológicas na formação do sujeito produtor de ciência. O método de análise de cada elemento constituinte de um determinado evento nos facilita a compreensão de uma série de fenômenos desse evento. Mas é na síntese das inter-relações entre esses elementos que está a compreensão deste fato. Ou, como bem o sabemos: o todo é mais do que a soma das partes. Nesse sentido, isolar o debate científico psicanalítico entre Freud e Reich de seu contexto histórico requer muita cautela.

Façamos, então, um primeiro recorte cronológico e tomemos o período em que Reich esteve diretamente vinculado à ciência psicanalítica, ao movimento institucional psicanalítico (API) e à militância política. Esse período vai de 1920 (ano de sua admissão na Sociedade de Psicanálise de Viena) a 1933-4 (anos da dissolução do Partido Comunista da Alemanha, da expulsão de Reich dos quadros da API e do início de suas pesquisas com bioenergia na Escandinávia).[8]

Dentro desse período de 1920 a 1934, podemos ainda separar, didaticamente, os principais focos de atenção do pensamento de Reich em três grandes áreas: questões referentes às teorias psicanalíticas, à prática clínica e, ainda, às aplicações da psicanálise no campo social. Comecemos pela terceira área.

PSICANÁLISE E HISTÓRIA

Muito embora Reich só tenha se filiado ao Partido Comunista da Áustria em 1927,[9] suas preocupações com a aplicação da psicanálise em escala social e sobretudo no sentido da prevenção das neuroses nos remetem a 1922. Foi nesse ano que um antigo desejo de Freud se concretizou: a fundação da primeira clínica psicanalítica pública de Viena,[10] "onde pessoas impossibilitadas de pagar um atendimento particular pudessem ser atendidas".[11] E foi trabalhando nessa clínica (de 1922 a 1930) que Reich entrou em contato direto com duas de suas preocupações antigas: a política e a saúde mental do trabalhador.

Em pouco tempo, Reich percebeu que "a psicanálise não era uma terapia para aplicação em larga escala"[12] e que era preciso pensar sobre como realizar a tarefa de prevenção das neuroses. Essa preocupação encontrou canal de expressão quando, em 1928, Reich "fundou, juntamente com mais quatro psicanalistas, três médicos obstetras e um advogado, a Associação Socialista para Consulta e Investigação Sexual (ASCIS). Essa associação, em colaboração com o Partido Comunista austríaco, abriu seis centros de higiene sexual destinados ao atendimento e ao fornecimento de informações sobre sexualidade para a população pobre de Viena".[13]

Já vimos, com isso, que Reich, nesse momento, está absolutamente engajado na política e na militância de uma psicanálise comprometida com a profilaxia e não apenas com a psicopatologia. Sua produção literária imortaliza suas preocupações desse período. Além de seu clássico livro sobre técnica psicanalítica,[14] escreveu, entre 1927 e 1934, *Materialismo dialético e psicanálise*,[15] *O combate sexual da juventude*,[16] *O que é a consciência de classe?*,[17] *Casamento indissolúvel ou relação sexual duradoura?*,[18] *Irrupção da moral sexual repressiva*,[19] *Psicologia de massas do fascismo*,[20] *A revolução sexual*[21] e *Elementos para uma pedagogia antiautoritária*.[22]

Em 1930, Reich deixou Viena e mudou-se para Berlim. Foi em busca de um lugar onde pudesse, juntamente com outros psicanalistas da chamada esquerda freudiana (entre eles Karen Horney, Franz Alexander, Melanie Klein, Karl Abraham, Erick Fromm, Edith Jacobson, Otto Fenichel e Annie Reich),[23] desenvolver seu trabalho de articulação entre psicanálise e marxismo, uma articulação impossível de ser feita com o grupo tutelado por Freud em Viena. De acordo com Albertini, "Reich mudou-se para a Alemanha não para 'mudar', mas para intensificar os trabalhos que já vinha desenvolvendo em Viena".[24]

O curto período de permanência de Reich em Berlim (1930 a 1933, quando foi obrigado a cair na clandestinidade e a buscar exílio na Dinamarca) serviu de catalisador em seu conflito com a

API. Quanto mais crescia sua popularidade entre os operários e a juventude comunista,[25] mais diminuía sua aceitação — também — no grupo de Berlim:

> Havia duas propostas estratégicas diferentes no grupo de Berlim. O grupo liderado por Fenichel, que acreditava que os analistas de esquerda deveriam permanecer em secreta oposição ao grupo "neutro" de Viena, para não romper com a instituição, e o grupo de Reich, que defendia a dissolução do Instituto de Berlim, sua transferência para outro local, e a oposição aberta a Viena, com o consequente enfrentamento ao nazismo.[26]

A proposta de Reich foi vencida e só posteriormente reconhecida como acertada.[27] Isolado, foi expulso da API em 1934.

Procurei mostrar condensadamente qual foi o percurso político de Reich dos anos 1920 a 1934. E gostaria de acrescentar uma característica de sua personalidade: a impulsividade. Não é preciso conhecer profundamente a vida dele para reconhecê-lo como um homem de ação. No período aqui focado, foi diretor dos seminários de sexologia na faculdade de medicina, diretor dos seminários de técnica psicanalítica, fundador da clínica pública de psicanálise, da ASCIS e da Sexpol.

Essa impulsividade entrou em choque frontal com a postura de neutralidade e conciliação,[28] recomendada pela API a seus filiados,[29] pois o "problema" era que Reich *dizia* e *fazia* o que pensava. As atividades político-psicanalíticas de Reich já foram sucintamente apresentadas. Vejamos um pouco daquilo que ele dizia, por meio do relato de Brainin e Kaminer:

> Acreditamos que a partir desse debate[30] é que se deu a exclusão de Reich da API, visando afastá-lo da Sociedade Psicanalítica Alemã (SPA), onde, há muito tempo, já era indesejado. A razão principal da sua exclusão foi sua crítica à SPA e à API, face aos nazistas: "[...] mesmo surrado mantém-se a dignidade. Os livros de Freud foram queimados por Adolf Hitler e surge uma nova psicoterapia alemã, sob a direção de C. G. Jung, agindo

> de forma verdadeiramente nazista contra o judeu e sub-homem (*Untermensch*) Sigmund Freud. A psicanálise de Freud é, cada vez mais, reconhecida como ciência e tem uma representatividade real no campo do movimento revolucionário, mas continua-se aristocrata. Fica-se sentado em poltronas, tranquilizando-se com o 'espírito objetivo'. Tentam esconder-se atrás de ilusões, conto é o caso da crença no 'apolítico', isto é, manter a parte política da natureza totalmente afastada da ciência. Isto, porém, não vai impedir que as forças políticas sintam de onde vem o perigo, e passem a combatê-lo adequadamente (por exemplo, a queima de livros de Freud)". Esta atitude só podia ser vista como ameaçadora pela API e pela SPA, dada sua política de compromisso com os nazistas. Donde a exclusão de Reich.[31]

A citação acima merece um comentário. Nela, vemos Reich acusar Jung de fomentar uma psicologia de inspiração nazista. Se a afirmação de Reich era verdadeira ou falsa, não vem ao caso. O que quero ressaltar com este comentário é o caráter provocativo da declaração de Reich. Ao acusar o protestante Jung de estar atacando o judeu Freud, esperava conseguir que a comunidade psicanalítica (quase integralmente composta por judeus) abandonasse sua posição de neutralidade política e assumisse publicamente uma posição contrária ao nazismo. Ora, isso era tudo o que a API não queria: chamar a atenção do nazismo. Esse tipo de conduta de Reich era sentido pela API como ameaçador. A solução encontrada foi afastá-lo do movimento psicanalítico. Esse afastamento já vinha sendo pensado tempos antes, como revela a carta de Anna Freud a Ernest Jones, de abril de 1933:

> O que tudo isto (as atividades políticas de Reich em Viena) pode significar para a comunidade psicanalítica, todo mundo já sabe. Aqui estamos todos dispostos a assumir riscos pela psicanálise, mas certamente não pelas ideias de Reich, que ninguém subscreve. Eis a esse respeito a sentença de meu pai: se a psicanálise deve ser proibida, deve sê-lo pelo que é e não pela mistura de política e psicanálise encarnada por Reich. Meu pai não poderia contar com o fato de que se desembaraçasse dele enquanto associado. O que é

> ofensivo é a violência feita à análise quando se pretende politizá-la, na medida em que ela nada tem a ver com a política.[32]

Espero ter apresentado elementos suficientes para demonstrar que aquilo que determinou a expulsão de Reich da API teve motivação política. Eram suas posições e atividades políticas que expunham a psicanálise à ameaça nazista, e não suas teorias psicanalíticas.

Se não, vejamos mais alguns elementos:

Que algumas teorias reichianas incomodavam o pensamento psicanalítico oficial (leia-se Freud), não temos dúvida. E que os choques teóricos pudessem culminar com o rompimento entre Reich e a psicanálise, levando-o a elaborar as teorias da economia sexual independentemente de sua aceitação por parte da psicanálise (o que de fato aconteceu), também deve ser considerado. Mas não podemos nos esquecer de dois fatores (os quais chamarei de cenários) fundamentais neste episódio: o cenário político mundial e o cenário psicanalítico.

O cenário político do mundo ocidental atual possui uma característica importante: a busca e o aperfeiçoamento de um Estado democrático. Um Estado no qual seus indivíduos tenham total liberdade de expressão ideológica, política e religiosa, e no qual não sejam discriminados ou perseguidos por sua raça, cor ou opção sexual. Longe de termos atingido tal Estado, propomo-nos a caminhar nesta direção. Existem, porém, um risco e um equívoco a serem ponderados. O risco está em considerar esse Estado ideal como já existindo dentro de cada indivíduo. E o equívoco está em julgá-lo como universal e natural. A democracia não é um lugar, mas antes, um processo árduo e permanente de afirmação de um valor cultural. Se hoje vivemos em alguns bolsões humanos de precária democracia com relativa liberdade de expressão, não podemos nos esquecer de que nem sempre foi assim, mesmo em um passado recente.

Lembremo-nos, portanto, de que o período aqui focado (1920-34) foi um período entre duas guerras mundiais e o momento do apogeu da ideologia nacional-socialista com sua política de extermínio. Essa política varreu da face do planeta milhões de judeus, comunistas, homossexuais, negros e cidadãos de várias outras etnias, pelo simples fato de não serem arianos e/ou nacional-socialistas. Opor-se ao nacional-socialismo tinha um endereço certo: os campos de extermínio. Reich exilou-se, assim como outros. Os psicanalistas (em sua imensa maioria judeus) emudeceram. Era a política de sobrevivência. Não considerar esses fatores no processo de exclusão de Reich da API significa mutilar a história em suas forças sociais, políticas e ideológicas.

No cenário psicanalítico atual, encontramos uma coexistência (não de todo pacífica, mas de respeito) entre as diferentes escolas de psicanálise e seus respectivos membros. Também aqui, este estado de coisas foi conquistado ao longo dos tempos. Como propõe Mezan,[33] a história da psicanálise pode ser dividida em quatro grandes períodos ou eras, a saber:

- A "era Freud", que se inicia com os primeiros escritos psicanalíticos e termina em 1918-9 com o fim da Primeira Guerra Mundial.[34] O característico deste período é o pensamento hegemônico de Freud na produção psicanalítica.
- Do fim dos anos 1919 até 1939 (ano de morte de Freud), temos a chamada "era dos debates". Como o nome diz, este período caracterizou-se pelos intensos debates entre Freud e seus, agora, experientes discípulos. Adiante voltarei a esta era, dada sua importância não só na história da psicanálise, mas também por compreender o período em que Reich participou do movimento psicanalítico (1920-34).
- Com a morte de Freud (1939) e a diáspora dos psicanalistas, provocada pela perseguição nazista, iniciou-se a "era das escolas" (escola inglesa, escola americana, escola das relações de objeto e, posteriormente, escola francesa) em que cada um lutava por ocupar o lugar de herdeiro e real "continuador da psicanálise".

- A partir dos anos 1970, começa a surgir uma nova postura psicanalítica (era atual) na qual as escolas se abrem para o diálogo e o aprendizado mútuo.

Na esperança de não ter traído o pensamento de Mezan, e ciente da extrema condensação que realizei de seu curso, retomo com um pouco mais de detalhe a era dos debates, de acordo e em acordo com o referido autor.

Esse período da história da psicanálise (1919-39) tem seu início com o fim da Primeira Guerra Mundial. Esse fato traz consigo um elemento importante. Durante a guerra, a maioria dos pupilos de Freud foi convocada para servir o Exército como médicos e psiquiatras. Enquanto Freud ficava isolado em Viena (produzindo vários trabalhos importantes),[35] os jovens psicanalistas estavam no *front*, cuidando dos feridos e traumatizados de guerra. Essa experiência, vivida sem a orientação e supervisão do mestre, foi responsável pela transformação de jovens iniciantes da psicanálise em interlocutores à altura de Freud. E não resta dúvida de que esses debates trouxeram riqueza e consistência à ciência psicanalítica.

Também é importante notar uma condição prévia para esse período de debates. Além dos primeiros escritos básicos da teoria psicanalítica,[36] a nova ciência conta agora com estudos sobre narcisismo,[37] metapsicologia,[38] pulsão primária de morte[39] e uma teoria sobre a estrutura, dinâmica e funcionamento do aparelho psíquico.[40] Ou seja, no começo dos anos 1920 a psicanálise já se constitui como uma ciência consistente, capaz de suportar questionamentos, sair-se bem e crescer a partir deles.

É nesse período que as mulheres (K. Horney, M. Klein, E. Jacobson, entre outras) questionam o Édipo feminino e obrigam Freud a rever sua posição a respeito.[41] É nesse período que Ferenczi[42] propõe a técnica ativa e é inicialmente incentivado por Freud. É nesse rico período de debates que as teorias das futuras escolas de psicanálise (M. Klein, A. Freud, M. Balint…) estão sendo formuladas. E é também nesse momento que Reich ingressa na psicanálise e se encaminha para as questões da técnica psicanalítica, da teoria da formação do caráter e da função do orgasmo.

Além desses debates (e muitos outros que não foram assinalados aqui), também é importante ressaltar a propagação mundial da psicanálise. Com o fim da guerra, a psicanálise pôde ultrapassar os limites de Viena (e alguns poucos centros da Europa central) e assentar-se institucionalmente na Europa ocidental e na América. Contemos com o já dito acima que nesse momento o corpo científico psicanalítico já estava bem constituído. É nesse cenário psicanalítico — de profundas discussões teóricas e de divulgação da psicanálise pelo mundo — que surge a figura de Reich. Estou tentando mostrar que, nesse período, tanto a ciência quanto a instituição psicanalítica já eram capazes de receber, suportar e conviver com críticas, questionamentos e debates. Diferentemente do período anterior, no qual uma psicanálise ainda não bem constituída se sentia ameaçada quando questionada, na era dos debates a tônica era a da discussão das divergências.

Vejamos duas ideias lançadas por Reich nesse período: em 1926, Reich apresentou seu trabalho a respeito da genitalidade[43] e entre 1926 e 1930, publicou vários artigos sobre a formação do caráter[44] na Revista Internacional de Psicanálise. Sobre a teoria da genitalidade, sabemos que Freud recebeu-a friamente, sem, contudo, nunca tê-la rebatido em termos científicos. E sobre a teoria reichiana do caráter, também sabemos que não foi incorporada pela psicanálise, embora seja reconhecidamente[45] a pedra de apoio do trabalho de Anna Freud sobre os mecanismos de defesa do ego.[46]

Mesmo com essas divergências teóricas importantes, Reich era considerado um bom analista[47] e seguia pertencendo aos quadros da API. Só a partir de 1928, com o desenvolvimento de suas atividades políticas, sua presença nos quadros da API começou a se tornar incômoda, até atingir o grau de insuportabilidade em 1933-4.

Concluindo: mesmo considerando as divergências entre Freud e Reich, as quais veremos a seguir, não podemos negar a decisiva interferência do cenário político no cenário psicanalítico, com a consequente eliminação de Reich e suas ideias deste segundo cenário.

PSICANÁLISE E ECONOMIA SEXUAL

Vejamos agora as relações ou o diálogo entre psicanálise e economia sexual do ponto de vista teórico, visto que, como afirmou Reich, suas teorias em economia sexual começaram a tomar forma nos idos de 1928.

Proponho examinarmos inicialmente cinco pontos desse sistema de teorias reichiano, a saber: a teoria da sexualidade, a teoria do desenvolvimento sexual, a teoria da genitalidade, a teoria da função do orgasmo e, por fim, a teoria da formação do caráter. Essas teses, além de constituírem os fundamentos da economia sexual, originaram-se, apoiaram-se ou desenvolveram elementos presentes nas teorias psicanalíticas. É preciso, portanto, examiná-las em detalhe em suas articulações com a psicanálise, para que se possa ter uma melhor compreensão não só das teorias da economia sexual como também de sua proposta psicoterapêutica (VCA).

SEXUALIDADE

Iniciemos com uma citação de Reich e sua aproximação e encantamento com as teorias sexuais de Freud.

> Eu estou convencido, por minha própria experiência, observando os outros e a mim mesmo, de que a sexualidade é o centro em torno do qual gravitam toda a vida social e o mundo interior espiritual do indivíduo — seja em relação direta ou indireta com este centro.[48]

Esta frase foi anotada por Reich em seu diário no ano de 1919. Sua convicção a respeito da sexualidade como ponto gravitacional da existência do ser humano antecede, em pouco, seu primeiro contato com as teorias psicanalíticas. O interesse de Reich pela sexualidade o levou a frequentar os então recém-criados seminários de sexologia da faculdade de medicina de Viena. E foi em um desses seminários que descobriu a psicanálise, por meio de uma apresentação realizada por Otto Fenichel.[49]

Entusiasmado com a sexologia e sobretudo com a teoria psicanalítica, Reich apresentou nesses seminários, ainda em 1919, uma monografia intitulada *O conceito de libido, de Forel a Jung*. Desse trabalho, ele conclui que "[a] 'libido' de Freud não é, e não pode ser, senão a energia do instinto sexual. É possível que um dia possamos chegar a medi-la".[50]

Tratou de conhecer Freud pessoalmente. Só havia lido, até então, "Três ensaios sobre a teoria da sexualidade" e foi presenteado pelo mestre com "Os instintos e seus destinos", *A interpretação dos sonhos*, "O inconsciente" e "Psicopatologia da vida cotidiana", entre outros. Chegou apreensivo e saiu feliz do encontro com Freud. Foi esse o ponto de partida, disse Reich, "de 14 anos de intenso trabalho na e para a psicanálise".[51]

De 1920 a 1925, Reich escreveu vários artigos que já revelavam suas preocupações quantitativas (econômicas) no tema da sexualidade: "Conflitos da libido e formações delirantes em 'Peer Gynt' de lbsen"; "O coito e os sexos"; "Sobre a energia das pulsões"; "Sobre a genitalidade do ponto de vista psicanalítico" e "O caráter impulsivo", entre outros.[52]

Em 1926, Reich dedicou a Freud (em homenagem aos seus 70 anos) seu primeiro extenso trabalho sobre a função do orgasmo.[53] Freud recebeu esse manuscrito friamente, mas, ao que se sabe, não produziu nenhum texto científico que refutasse as ideias contidas no referido trabalho de Reich.[54] Retomaremos esse assunto adiante.

Concomitantemente ao desenvolvimento da teoria da função do orgasmo, Reich desenvolveu a teoria da formação e função do caráter. Tomando pistas deixadas por Freud, Abraham e Jones a respeito das relações entre forças pulsionais infantis e traços de caráter,[55] chegou à formulação do caráter do ego como uma formação integral de todo o desenvolvimento psicossexual do indivíduo. Apresentada em 1930, a teoria do caráter também teve fria recepção na comunidade psicanalítica.

Em linhas gerais, foi esse o percurso teórico de Reich, lembrando que sua convicção sobre a existência física da libido só foi retomada com os experimentos de bioenergia após 1934. Vejamos agora onde Reich encontrou ressonância para suas convicções a respeito da sexualidade como fator motor do funcionamento psíquico.

Tomemos os "Três ensaios sobre a teoria da sexualidade".[56] Esse trabalho, nos adverte Strachey, forma, com *A interpretação dos sonhos*, "a mais transcendente e original contribuição de Freud ao conhecimento do humano".[57] Essas duas teses foram as que mais receberam revisões e ampliações por parte de Freud. Verificamos, ao longo dos três ensaios, notas de 1910, 1915, 1920 e 1924. Nelas percebemos a preocupação de Freud em articular suas ideias sobre a sexualidade com suas novas teorias, sobretudo em relação ao narcisismo,[58] ao complexo de Édipo[59] e à pulsão de morte.[60]

Podemos afirmar que, por trás dessas articulações, estava a convicção de Freud de que suas teorias a respeito da sexualidade não só eram de fundamental importância para todo o edifício da psicanálise, como também eram as que mais causavam incômodo e dissonância, quer nos meios sociais, pedagógicos, religiosos, quer nos próprios meios psicanalíticos. Vejamos o que Freud escreve no prólogo à quarta edição (1920) dos "Três ensaios":

> Terminada a guerra, pode comprovar-se com satisfação que o interesse pela investigação psicanalítica permaneceu incólume no mundo todo. Todavia, nem todas as partes da doutrina tiveram o mesmo destino.
>
> As formulações e averiguações puramente psicológicas da psicanálise sobre o inconsciente, a repressão, o conflito patógeno, o ganho da doença, os

> mecanismos de formação de sintomas etc. gozam de um reconhecimento crescente e são considerados mesmo por aqueles que as questionam em seus princípios. Porém a parte da doutrina contígua à biologia, cujas bases se oferecem neste pequeno escrito, segue despertando uma rígida oposição, e mesmo pessoas que, durante algum tempo, se ocuparam intensamente da psicanálise a abandonaram para abraçar novas concepções, destinadas a restringir, de novo, o papel do fator sexual na vida anímica normal e patológica. Além disso é preciso recordar que uma parte do conteúdo deste trabalho, a saber, sua insistência na importância da vida sexual para todas as atividades humanas e sua intenção de ampliar o conceito de sexualidade, constituiu, desde sempre, o motivo mais forte de resistência à psicanálise.[61]

Vemos aí que, para Freud, a teoria da sexualidade (substanciada pelos conceitos de pulsão sexual, libido, zona erógena etc.) constitui aquilo que é designado como aspecto, ou ponto de vista, econômico em psicanálise. E que é esse aspecto que subjaz e movimenta toda a dinâmica psíquica. Embora considerasse a importância do econômico, Freud reconheceu que a psicanálise muitas vezes negligenciou essa importância. Em suas palavras: "em nossas representações teóricas muitas vezes temos deixado de levar em conta o ponto de vista econômico na mesma medida que o dinâmico e o tópico. Minhas desculpas são para advertir sobre essa omissão".[62]

Com isso, podemos perceber claramente a concordância entre Freud e Reich no que se refere à sexualidade como propulsora da vida anímica. E se por vezes, como vimos acima, Freud se penitenciou por haver omitido o sexual de suas teorias, um dos papéis de Reich (para nós) foi o de não deixar isso acontecer.

Poucas páginas atrás (citação 48), sublinhei que Reich já reconhecia a importância da sexualidade na vida anímica antes de entrar em contato com as teorias psicanalíticas. Isso, contudo, não significa que o desenvolvimento de seu pensamento científico não seja, em larga medida, devedor dessas teorias. Ou, numa linguagem psicanalítica, podemos dizer que algumas teorias e conceitos psicanalíticos funcionaram como apoio para o desenvolvimento da psicologia reichiana. Assim, Reich assimilou não só a teoria do desenvolvimento psicossexual dos "Três ensaios" como também incorporou e fez seus os conceitos freudianos de pulsões, libido, objeto sexual, meta sexual, pulsões parciais, primazia do genital, fases, zonas erógenas, fixação, regressão, repressão, neurose, perversão, fetiche, impulsividade, sintoma, autoerotismo, apoio, complexo de castração, inveja do pênis, amor de objeto, ambivalência, prazer prévio, sublimação, formação reativa e caráter, conceitos esses contidos no referido texto de Freud.

A seguir, examinaremos a teoria freudiana do desenvolvimento psicossexual e a apropriação feita por Reich dessa teoria. É importante ressaltar essa apropriação porque é dela que partem as teorias reichianas da genitalidade, da função do orgasmo e do caráter como desenvolvimento das teorias sexuais em psicanálise. Aceitar a teoria sexual de Freud não significa aceitar de contínuo suas ideias sobre o desenvolvimento psicossexual com suas fases (ou estágios) oral, anal, fálica, período de latência e genital. Vemos, por exemplo, Melanie Klein partir da teoria sexual freudiana e então propor a troca das *fases* por *posições* (esquizoparanoide e depressiva). É claro que essa troca tem consequências teóricas e práticas. Isso, contudo, não é fator de exclusão da teoria kleiniana do universo psicanalítico. Pelo contrário, *é fator de ampliação desse universo.* Assim também, compreender as contribuições de Reich, enquanto tais e não como afrontas comunistas ao pensamento psicanalítico, pode significar ampliação e alcance da psicanálise e de seus praticantes.

DESENVOLVIMENTO PSICOSSEXUAL

Uma vez que Freud teve todo o cuidado em bem apresentar sua teoria sexual (porque sabia de sua importância e também das resistências que enfrentaria), só me resta agradecer esse cuidado e ir direto ao assunto.

Nos "Três ensaios", Freud utiliza sua conhecida fórmula de partir do patológico para chegar a um suposto modelo de normalidade. Inicia o texto apresentando aquilo que há de mais extravagante no tocante a comportamentos sexuais (ao menos para a moral vitoriana): as aberrações sexuais com seus desvios relativos ao objeto sexual (homossexualismo, pedofilia e zooerastia) e à meta sexual (transgressões anatômicas e fixações provisórias). Da observação dessas aberrações, Freud passa às suas análises, isto é, as decompõe em seus elementos constituintes (pulsão, meta e objeto sexual). Contrário a uma teoria da degeneração causada por fatores hereditários, defende a tese na qual as aberrações seriam fixações em um determinado estágio do desenvolvimento psicossexual. Em suas palavras, "na base das perversões há em todos os casos algo inato, porém algo que é inato em todos os homens".[63] E mais adiante conclui: "os neuróticos conservaram o estado infantil de sua sexualidade ou foram remetidos a ele. Desse modo, nosso interesse se dirige à vida sexual da criança; estudaremos o jogo de influências em virtude do qual o processo de desenvolvimento da sexualidade infantil desemboca na perversão, na neurose ou na vida sexual normal".[64]

Resumindo a conhecida teoria do desenvolvimento psicossexual de Freud, temos uma energia psíquica denominada libido (um substrato das pulsões sexuais provenientes das excitações somáticas)[65] percorrendo e erotizando o corpo do sujeito infantil, apoiado inicialmente no desenvolvimento fisiológico desse corpo. Podemos pensar na libido sendo atraída e erotizando a boca tão logo o bebê inicie o ato de mamar. Desse ato, e do prazer vivido nele, se desprende a fase psicossexual oral. As fases subsequentes (anal, fálica, genital) estariam também inicialmente apoiadas no desenvolvimento e maturação do corpo fisiológico.

Para Freud, existe um percurso a ser realizado pela libido, percurso esse que se inicia na cavidade oral e culmina na região genital. Ele entende esse desenvolvimento como normal e considera os comportamentos sexuais neuróticos e perversos como resultantes de bloqueios desse desenvolvimento. Reich toma o caminho proposto por Freud e o assenta em bases fisiológicas naturais. Podemos pensar nos seguintes termos: Freud assinalou em linhas gerais a respeito do desenvolvimento da libido relacionado ao desenvolvimento orgânico, e Reich minuciou essa relação com base no desenvolvimento orgânico natural de sentido acéfalo-caudal. A conhecida sequência de anéis corporais proposta por Reich (anel ocular, oral, cervical, toráxico, diafragmático, abdominal e pélvico) é fruto desse detalhamento.

Se deixarmos de lado, mais uma vez, o fato de Reich ter pertencido ao Partido Comunista, poderemos apreciar suas contribuições na compreensão do desenvolvimento psicossexual e dos distúrbios provocados por bloqueios do fluxo libidinal com seus reflexos psíquicos. Além das reconhecidas zonas erógenas (boca, ânus e genital), percebemos no anel ou segmento ocular uma importante zona de excitação (voyeurismo – exibicionismo)[66] e de somatizações (da miopia à cegueira histérica) provocadas por situações emocionais.[67] No segmento toráxico, que inclui braços e mãos, encontramos aportes importantes para as anotações de Freud sobre o tocar[68] e o apoderamento.[69]

Enfim, apreciar a aproximação realizada por Reich entre o desenvolvimento libidinal e a maturação corporal (não de forma esquemática, mas de maneira funcional, como veremos adiante na explanação sobre o caráter) pode nos trazer uma melhor compreensão de uma enorme série de distúrbios psicossomáticos, e, mais que isso, sugerir uma visão subversiva na qual é a libido (a bioenergia ou o orgone, como queiram) quem comanda os processos fisiológicos e endócrinos, e não o contrário, como acreditamos até hoje.

As pesquisas biofísicas[70] realizadas por Reich, as descobertas da bioenergia e da energia orgone[71] fizeram por confirmar e assentar em bases naturais orgânicas as teorias freudianas da sexualidade, das pulsões, das zonas erógenas e da genitalidade. Esta última, embora pertencesse inicialmente ao corpo de conhecimento da psicanálise, foi por ela abandonada e tornou-se um ponto de divergência entre Reich e Freud.

GENITALIDADE

A teoria do desenvolvimento sexual é apresentada por Freud nos seguintes termos:

> Até aqui destacamos as seguintes características da vida sexual infantil: é essencialmente autoerótica (seu objeto se encontra no próprio corpo) e suas pulsões parciais singulares aspiram a conseguir prazer cada uma por si, inteiramente desconectadas umas das outras. O ponto de chegada do desenvolvimento constitui a vida sexual do adulto chamada normal; nela, a meta de prazer se põe a serviço da função de reprodução, e as pulsões parciais, sob o primado de uma única zona erógena, formam uma organização sólida para atingir a meta sexual em um outro objeto.[72]

Quando Freud resume assim sua teoria, já percorreu um longo percurso no qual detalhou todos os conceitos contidos na explanação acima citada (autoerotismo, pulsões parciais, meta, objeto sexual, zona erógena). Isso já está bem assentado. O que importa ressaltar agora é o ponto de chegada do desenvolvimento psicossexual: a genitalidade.

O único deslize cometido por Freud, se me for permitida uma pequena digressão, está em sua afirmação de que a meta de prazer se põe a serviço da função de reprodução. Além do animal humano, existem inúmeras espécies de animais que praticam o sexo fora do período de acasalamento. O trabalho do biólogo Bagemihl[73] — apoiado na observação de 450 espécies de animais e em pesquisas de outros biólogos que, por variados motivos, preferiram não publicá-las — revela que a atividade sexual lúdica (sem fins de procriação) dos animais é muito mais intensa e bissexual do que o que estamos acostumados a crer. Isso nos coloca, mais uma vez, na pista de que a sexualidade (pulsões sexuais, libido) tem uma função importante no desenvolvimento fisiológico dos organismos ou, como afirmou Reich, "crescimento, copulação e divisão celular estão determinados pela função libidinal da tensão periférica".[74] Nesses termos, podemos pensar na sexualidade e na genitalidade independentemente da função de reprodução. É a segunda quem se apoia na primeira, e não o contrário.

Voltemos a Freud. Sua tese a respeito do desenvolvimento psicossexual supõe um percurso a ser realizado pela libido, percurso esse com um ponto ou estágio final a ser atingido: a genitalidade, caracterizada pela primazia das pulsões genitais e pela presença de um outro. Temos, do ponto de vista econômico-libidinal, a seguinte situação: o sujeito adulto normal, no qual as pulsões parciais concorrem para o incremento (prazer prévio) do prazer genital, e o sujeito patológico (neurótico ou perverso), cuja libido sofreu algum tipo de perturbação em seu caminho rumo à genitalidade normal.

O pressuposto básico psicanalítico da dinâmica psíquica é de que a energia mobilizadora das representações provém das pulsões e é percebida como carga afetiva.[75] Se considerarmos as situações neuróticas e perversas nas quais as pulsões parciais permaneceram ligadas a representações infantis, lutando incessantemente por se realizarem (conforme "Aspectos econômicos da transferência", no capítulo 2) e, por isso, não se submetendo ao primado da genitalidade (permanecendo autoeróticas), poderemos tirar duas conclusões. Primeiro, nas neuroses e perversões, a genitalidade está debilitada por não receber os aportes libidinais das pulsões parciais. E segundo, também nessas duas situações, a ênfase do prazer é autoerótica, sem preocupação com o outro. Passemos agora a Reich e sua teoria da genitalidade.

Façamos uma breve descrição do percurso de Reich na psicanálise. Em 1919, ele se aproximou de Freud e de suas teorias por simpatia. Encontrou na teoria psicanalítica do desenvolvimento psicossexual o suporte para suas convicções a respeito do papel da sexualidade na vida do ser humano. Ao apresentar, em 1926, o trabalho sobre a genitalidade, Reich já não era mais um simpatizante, mas um militante fervoroso da psicanálise. Seus escritos e sua prática clínica e ambulatorial estavam absolutamente atravessados pelas teorias psicanalíticas. Sua grande preocupação, dados seu entusiasmo e convicção, era de assentar em bases físicas e biológicas a teoria sexual de Freud. No âmbito da economia libidinal, Reich foi o mais radical psicanalista. Abraçou a teoria econômica de Freud e procurou provar a existência físico-química da libido, intuída pelo mestre.[76] Dessa procura resultaram as teorias da função do orgasmo e da formação do caráter.

A tese reichiana sobre a genitalidade tem seu ponto de partida na prática clínica. Reich foi pesquisando em detalhe as relações amorosas de seus pacientes e descobrindo perturbações na satisfação genital, mesmo em pacientes que apresentavam uma vida sexual aparentemente normal. A descoberta de que as relações sexuais dos neuróticos estavam povoadas de fantasias de índole infantil, e de que essas fantasias impediam a realização genital plena, levou Reich a estabelecer uma diferença qualitativa-quantitativa entre a relação sexual plena (orgástica) e a relação sexual insatisfatória.

A constatação da existência de fantasias na vida sexual dos neuróticos é, ou seria, a prova clínica da teoria da genitalidade de Freud. Isso porque, como vimos em Freud, na genitalidade as pulsões pré-genitais devem estar a seu serviço ou sob sua primazia. Na situação neurótica, a presença de fantasias revela que nem todo caudal passional está à disposição da genitalidade. Uma parte dele está investida nessas fantasias. Esse investimento tem duas consequências. A primeira delas é o empobrecimento da tensão sexual, ocasionando uma satisfação razoável, mas não plena. A segunda, dependendo da índole da fantasia e da quantidade de investimento pulsional que ela atrai, pode levar a uma não gratificação ou a uma gratificação com culpa e depressão.

Reich estava de acordo com a teoria do desenvolvimento psicossexual de Freud. O aprofundamento na pesquisa sobre o comportamento sexual de seus pacientes e a descoberta das interferências das fantasias na atividade sexual genital levaram--no a concluir pela inexistência de um quadro neurótico sem um correspondente comprometimento das funções sexuais genitais.

Vejamos com mais detalhe o que significa a genitalidade em Reich. Alguns autores, como Roudinesco,[77] consideram que Reich confundiu genitalidade com sexualidade. Se esses autores tivessem lido Reich, entenderiam facilmente que o caráter genital (de Reich) é o adulto normal (de Freud), o qual procura a totalidade em suas relações, e não apenas satisfações parciais, sejam essas relações "amorosas, de trabalho, de conversa com um amigo, na educação de uma criança, na pintura, nisto ou naquilo".[78] Entenderiam também que, tanto para Reich quanto para Freud, o sujeito maduro se ocupa, em suas relações, com o outro e com o cuidado e os destinos desse outro. Basta ler Reich para entender isso. O que esses autores parecem não entender, ou não querer entender, são as consequências de se levar em conta o desenvolvimento dado por Reich à teoria sexual de Freud. A primeira delas seria de voltar a considerar a economia libidinal na teoria e na prática clínica juntamente com a dinâmica das representações.

Quero fazer uma última consideração sobre o assunto. Vimos Freud penitenciando-se por ter, ele próprio, negligenciado a importância do econômico na teoria psicanalítica (cf. citação 62). Acompanhamos seu depoimento de como a teoria sexual é a mais combatida e a menos aceita, mesmo entre simpatizantes da psicanálise (cf. citação 61). Percebemos Reich como o mais ferrenho defensor da teoria sexual. Hoje pode parecer que Reich estava sozinho, na contramão da história. Mas não foi bem assim. A teoria sexual foi assunto caro a muitos psicanalistas de sua época. Vejamos, por exemplo, o que S. Ferenczi e O. Fenichel dizem a respeito da genitalidade:

> Compartilho totalmente da opinião de Reich segundo a qual todos os casos de neurose, e não só os de impotência manifesta, vão acompanhados de perturbações mais ou menos importantes da genitalidade e estou em

condição de demonstrar a ocorrência de atividade uretroanal nas mais diversas estruturas neuróticas.[79]

Nada sabemos da índole específica desta identificação; apenas podemos dizer que a experiência de satisfação plena e altamente integrada a facilita; e que a primazia genital (capacidade de ter orgasmo adequado) lhe é pré-requisito.[80]

As duas passagens acima mostram que a teoria da genitalidade de Reich teve boa aceitação durante certo período, precisamente na era dos debates. Seria interessante pesquisar a história da psicanálise para melhor compreender por que as teorias sexual e da genitalidade foram sendo abandonadas e quais as interferências sociais, políticas e institucionais nesse abandono. Por ora, fiquemos com a ideia de que a genitalidade em Reich significa um estágio de desenvolvimento psicossexual, significa um modo de se relacionar com o outro e com a vida, e não simplesmente o ato sexual realizado com os genitais.

FUNÇÃO DO ORGASMO

Até a teoria da genitalidade, Reich ainda era acompanhado por outros psicanalistas, pois suas ideias sobre a genitalidade mantinham uma relação direta com as teorias sexuais de Freud e eram, em grande medida, conclusões lógicas dessas teorias. Já os outros dois conceitos pertencentes à economia sexual — função do orgasmo e caráter — parecem não ter, atualmente, nenhum vínculo com a teoria psicanalítica. A teoria da função do orgasmo, em especial, tem sido muitas vezes apontada como o divisor de águas entre a psicanálise e a economia sexual. Vejamos o desenvolvimento desses dois conceitos em Reich, começando pela função do orgasmo.

A história do desenvolvimento do conceito de função do orgasmo começa nos anos 1924-6 com a teoria da genitalidade, passa pelas pesquisas com bioeletricidade e bioenergia nos anos

1934-9 e culmina com a descoberta da energia orgone e os estudos sobre a função do orgasmo (potência orgástica e reflexo orgástico)[81] e a biopatia do câncer em 1948.[82]

As pesquisas em bioenergia tinham um objetivo inicial claro: aproximar-se das fontes de excitações somáticas e compreender a relação destas com as pulsões e a vida anímica. Essas pesquisas foram trazendo a Reich o suporte biofisiológico para sua teoria da genitalidade e o levaram à descoberta da função do orgasmo. Essa descoberta teve vários desdobramentos (na biologia, na medicina, na física, na astronomia), dos quais destacarei apenas aquele que nos interessa mais de perto: na psicologia e em sua aplicação clínica.

Por meio de pesquisas e experimentos com a bioenergia das excitações sexuais genitais, Reich constatou diferenças quantitativas na descarga dessa energia e as relacionou a bloqueios emocionais. Estabeleceu, então, o conceito de potência orgástica como a capacidade de descarga completa da excitação bioenergética. A descoberta da função natural do orgasmo, isto é, a descarga completa das excitações somáticas, vivida como sensação — efêmera, porém plena — de prazer e bem-estar, levou Reich a estabelecer o princípio de funcionamento do biológico em seus quatro tempos: tensão – carga – descarga – relaxamento. Esta fórmula, também transcrita em gráfico (curva orgástica), procura refletir os aspectos quantitativos dos processos biofisiológicos do orgasmo. A partir das observações e de experimentos com a genitalidade, Reich percebeu a função do orgasmo e, por isso, deu-lhe esse nome. "A função ou fórmula do orgasmo se aplica a todo o campo da biologia".[83] "Ela se confunde com a fórmula da vida em si".[84] Não encontramos dificuldade em reconhecer a fórmula orgástica nos processos biológicos. Da divisão celular ao funcionamento dos órgãos (coração, pulmão, rins etc.), percebemos as pulsações ritmadas em tensão – carga – descarga – relaxamento. É o princípio do desprazer (tensão) – prazer (relaxamento) em funcionamento. Uma contribuição da pesquisa reichiana foi descobrir a energia biológica (depois cósmica) como propulsora desses processos.

As dificuldades começam a surgir quando se busca estabelecer as relações entre o somático e o psíquico.

Desde Freud e seu conceito da pulsão (e as diferentes possibilidades de compreensão desse conceito)[85] até Reich e sua bioenergia e energia orgone, o estabelecimento das relações entre o somático e o psíquico — da passagem e transformação de um quantum energético biofísico em energia psíquica e da interferência dessa energia nos processos somáticos — ainda não está feito de forma a ser aceito e utilizado, tanto no campo da biologia quanto no da psicologia. Sabemos, por experiência própria, da existência de relações entre nosso corpo físico e nossa psique. Percebemos por experiência imediata[86] que somos seres conscientes, mas não sabemos nem como essa consciência opera nem quais os processos e forças envolvidas em sua ação. Reconhecemos, enfim, a existência de uma íntima relação entre soma e psique, porém pouco sabemos como ela se dá.

Reich buscou estabelecer a relação soma-psique a partir do enfoque econômico (energético). Em sua nova concepção, essa relação recebe o nome de unidade funcional, na qual o psiquismo não é apenas representação, mas expressão dos fenômenos biofísicos. Bem, uma apresentação e discussão de biofísica do orgone, embora rica e interessante, levar-nos-ia demasiado longe de nosso assunto. Voltemos então à função do orgasmo em relação à história da teoria da economia sexual e à psicanálise.

Ao dedicar a Freud (por ocasião de seu 70º aniversário, em 1926) seu estudo sobre a genitalidade e a função do orgasmo, Reich recebeu do mestre o seguinte comentário: "Tão grosso assim?"[87] Reich sentiu-se incomodado com a frieza de Freud e teve de aguardar dois meses até receber por escrito os comentários de Freud:

> Caro dr. Reich. Demorei muito, mas finalmente li o manuscrito que o senhor me dedicou por ocasião de meu aniversário. Eu acho seu livro válido, rico em observações e ideias. Como o senhor sabe, eu não sou contrário

> à vossa tentativa de resolver o problema da neurastenia explicando-a pela ausência da primazia genital.[88]

Freud bem sabia que a descoberta de Reich sobre a existência de perturbações na função natural do orgasmo, em todos os casos de neurose, era lógica dentro do pensamento psicanalítico. Entretanto, sabemos que a função do orgasmo não foi absorvida pelo corpo de conhecimentos da psicanálise e tornou-se o ponto inicial da virada de Reich para a economia sexual. Como explicar que um elemento (a função do orgasmo) seja, ao mesmo tempo, a comprovação prática de uma teoria (desenvolvimento psicossexual) e ponto de rechaço por parte dessa teoria? A resposta não pode ser encontrada ou reduzida a um único fator. Deve estar na confluência de várias determinantes, entre as quais podemos destacar três delas:

- Do ponto de vista teórico, aceitar a função do orgasmo poderia significar, para Freud e para a psicanálise, rever a hipótese de uma pulsão primária de morte,[89] do masoquismo primário[90] e da produção de angústia psíquica,[91] ou seja, poderia significar uma revisão e uma correção na nova rota que começava a tomar a teoria psicanalítica.
- Do ponto de vista institucional, poderia significar o aval para a aplicação desejada por Reich da psicanálise em escala social.
- Do ponto de vista da prática clínica, poderia resultar em uma técnica que buscasse "a ferro e a fogo" o restabelecimento do reflexo orgástico, perdendo-se, com isso, o caminho de acesso ao inconsciente pela via da associação de ideias.

Em relação aos dois primeiros pontos, espero que já tenhamos elementos suficientes para perceber os vínculos teóricos entre a função do orgasmo e os aspectos econômicos da teoria psicanalítica, e a tumultuada passagem de Reich (com sua explosiva mistura de psicanálise e política) pela instituição psicanalítica. O terceiro ponto, sobre a prática clínica, será abordado adiante no item dedicado à relação entre psicanálise e VCA.

CARÁTER

O conceito de caráter é um dos conceitos mais importantes da psicologia reichiana e um dos menos compreendidos não só por psicanalistas como também por psicorporalistas. De um lado,

> a ortodoxia freudiana recupera o imponente trabalho de Reich e o funde com a *koiné* analítica, tomando o cuidado de apagar o nome de Reich e de operar apenas com as dimensões técnicas do conceito de caráter.[92]

De outro lado, alguns psicorporais esquecem que

> Reich faz análise caracterial — e não caracterológica analítica. Dito de outro modo, ele não propõe uma tipologia no sentido corrente do termo — uma classificação de tipos específicos e ricamente providos de traços diferenciais. Concebendo o caráter como resistência e couraça, forma e função, história e estrutura, ele se dá a tarefa de estudar primeiramente os mecanismos de defesa, as organizações pulsionais, os circuitos de distribuição libidinal, os modos de fixação do prazer e da angústia, das emoções sexuais; dá prioridade à análise universal e às articulações dinâmicas, e não às descrições de gabaritos e quadros traçados meticulosamente, nos quais se exibe o virtuosismo de psicólogos universitários e populares.[93]

Se olharmos para a história do desenvolvimento do conceito de caráter, vamos encontrar suas origens novamente no solo psicanalítico. Depois de algumas observações esparsas a respeito da relação entre traços de caráter e analidade, Freud produziu um texto específico sobre "Caráter e erotismo anal".[94] Essa ideia, de relacionar certos comportamentos neuróticos a fases de desenvolvimento da libido, foi desenvolvida sobretudo por Ernest Jones, Karl Abraham e Sándor Ferenczi.

Quando Reich se aproximou da ciência psicanalítica no início dos anos 1920, já encontrou uma bibliografia razoável sobre os vínculos entre traços de caráter e desenvolvimento libidinal. E encontrou também uma teoria a respeito da formação, desenvolvimento e estruturação do aparelho psíquico.[95]

Reich propôs o casamento do caráter com o ego e o id. Curiosamente, essa união teve vida curta dentro da comunidade psicanalítica. Essa curiosidade fica por conta das seguintes observações:

A existência de vínculos entre traços de caráter e desenvolvimento libidinal percorre boa parte da obra de Freud. Antes do já citado trabalho sobre caráter e erotismo anal, Freud deixa consignado que

> [o] que chamamos de "caráter" de uma pessoa está construído em boa parte com o material das excitações sexuais, e se compõe de pulsões fixadas desde a infância, de outras adquiridas por sublimação e de construções destinadas a refrear algumas moções perversas, reconhecidas como inaplicáveis.[96]

E, em 1923, ao investigar o processo de identificação por relevação do investimento de objeto, ele afirma que "tal substituição participa consideravelmente na conformação do ego, e contribui essencialmente na produção do que se denomina seu caráter".[97]

Para Freud, o ego

> é a representação de uma organização coerente dos processos anímicos de uma pessoa. Deste ego depende a consciência; ele governa os acessos à mobilidade, ou seja, à descarga das excitações no mundo exterior; é a instância anímica que exerce um controle sobre todos os processos parciais e que à noite dorme, mas que ainda assim aplica a censura anímica. Deste ego partem também as repressões, à raiz das quais certas aspirações anímicas devem ser excluídas, não só da consciência, mas também de outras modalidades da atividade anímica.[98]

Em resumo, temos dentro do corpo de conhecimentos da psicanálise a ideia de uma estrutura psíquica do ego, "sobretudo uma essência-corpo",[99] responsável tanto pelas ações quanto pelas inibições de ações; responsável pela censura e repressão (portanto, sede dos mecanismos de defesa) e formada, em grande medida, por processos de identificações que lhe conferem um caráter.

O que Reich fez a partir disso? Aprofundou cada uma dessas trilhas iniciais e formulou um conceito preciso de caráter. Em sua concepção, "o caráter é, em essência, um mecanismo de proteção narcísico".[100]

Enquanto tal, é visto como "uma formação total",[101] isto é, uma estrutura composta por vários mecanismos de defesa e identificações ocorridas durante a infância e que se cristalizou "como uma forma definida de solução do complexo de Édipo".[102]

Com essa formação total, Reich entende o caráter como resultante e expressão de *todo* o desenvolvimento psicossexual e não de um acontecimento isolado na vida de uma pessoa, ou seja, o caráter é visto como a forma típica e estruturada de ser do ego e não apenas como um sintoma eventual desse ego. Podemos pensar que, ao propor o caráter como formação total, Reich patologiza o ego freudiano. Nada mais verdadeiro e incômodo que isso.

Seguindo a perspectiva psicanalítica, Reich vê o ego como uma unidade funcional (parte consciente, parte inconsciente), encarregada de lidar com as exigências advindas da realidade externa, das necessidades pulsionais e dos ideais introjetados. Servo de três senhores,[103] no mais das vezes com interesses excludentes, resta ao ego enrijecer-se para livrar de sua consciência a angústia provocada por exigências conflitantes.

Do ponto de vista econômico, o ego é a instância psíquica encarregada de fazer tramitar todas as exigências pulsionais a fim de eliminar a angústia causada por essas exigências. Para tanto, pode gratificá-las diretamente, sublimá-las ou reprimi-las. A grande novidade introduzida por Reich nessa dinâmica é a capacidade ou propriedade egoica de canalizar uma grande quantidade de libido para a manutenção de sua própria estrutura: o caráter. Citando Reich:

> Mencionamos dois princípios econômicos da formação do caráter: evitar a angústia (atual) e absorver a angústia (estásica). Existe um terceiro: o princípio de prazer. A formação do caráter começa com o objetivo de evitar os perigos implicados na gratificação pulsional. Uma vez formado o caráter, sem dúvida, o princípio de prazer trabalha no sentido de que aquele, como o sintoma, sirva não só a finalidades defensivas, mas também a uma gratificação disfarçada das pulsões.[104]

Essa dinâmica narcísica de canalização da libido (além da gratificação direta, da sublimação e da formação reativa) é o que Reich chamou de base caracterológica de reação. Sua principal característica econômica é absorver a libido e ligá-la aos traços de caráter. É esse caráter quem vai impedir que uma série enorme de repressões se transforme em sintomas. Quando isso acontece, quando surge um sintoma, é sinal que o caráter falhou, seja por não ter sido suficientemente bem estruturado, seja por sua estrutura não ter sido capaz de lidar com o constante aumento (estase) da libido. Nesse sentido, podemos compreender e verificar em nosso trabalho clínico que aquilo que leva uma pessoa a uma psicoterapia é um sintoma, e não o seu caráter. Enquanto o caráter é capaz de absorver e canalizar a libido, isto é, enquanto o sujeito se sente capaz de lidar com seus desejos, necessidades e angústias, não há demanda por psicoterapia. Quando o caráter falha e a angústia aumenta, provocando um sintoma, surge a demanda de tratamento.

Reich ensina-nos a perceber o sintoma como o sinal de falência de todo um sistema e não apenas como uma falha isolada desse sistema. É nessa perspectiva que ele propõe uma análise sistemática do caráter do ego e não do sintoma especificamente. Pois é o ego como um todo que está produzindo um sintoma. É a forma e a dinâmica de funcionamento do ego que está sendo insuficiente para lidar com o montante de libido advindo do id.

A análise sistemática do caráter é, portanto, a consequência clínica do estabelecimento do caráter como formação total do ego com suas identificações e mecanismos de defesa. A proposta reichiana de análise do caráter segue a lógica da própria formação do caráter. Se o caráter foi formado basicamente como defesa contra ameaças externas e internas, e posteriormente também passou a consumir libido em sua automanutenção, num autogozo da estrutura,[105] é de se esperar que esse caráter — como forma típica de reação — vá se apresentar como resistência à análise.

Freud já havia assinalado a presença de resistências à análise. Quando, no curso do tratamento, as associações livres falhavam, ele via aí a ação de uma resistência à emergência do material inconsciente. E percebia também que essa resistência operava de forma inconsciente.[106] A regra fundamental de associação livre não podia ser seguida pela imensa maioria dos pacientes. A associação livre era boicotada pelas resistências e, portanto, a tarefa psicanalítica de tornar consciente o inconsciente não podia ser realizada diretamente. Antes, era preciso tornar conscientes as resistências. Reich tomou em conta essas importantes observações e desenvolveu um método de análise para a realização dessa tarefa. Ao apresentar seu trabalho sobre técnica de análise de resistências e transferência (análise do caráter), adverte:

> Nada tenho a acrescentar aos princípios de Freud relativos à interpretação do inconsciente, ou à sua fórmula geral de que o trabalho analítico consiste na eliminação das resistências e no manejo da transferência. A exposição a seguir pretende ser a aplicação consequente dos princípios psicanalíticos básicos, uma aplicação que também abre novos campos para a tarefa psicanalítica. Se desde o começo do tratamento nossos pacientes seguissem a regra fundamental, não haveria motivo para escrever um livro sobre análise do caráter. Infelizmente, poucos de nossos pacientes são acessíveis à análise desde o começo; são incapazes de seguir a regra fundamental até o momento de conseguir o afrouxamento de suas resistências. Ocupar-nos-emos, portanto, da fase introdutória da análise, até chegar ao ponto em que o curso

> da análise pode ser deixado, sem perigo, nas mãos do paciente. O primeiro problema é a "educação analítica para a análise"; o segundo é o término da análise, a dissolução da transferência e a educação para a realidade.[107]

Fica assim evidente que a análise de caráter não pretende competir com a psicanálise. Tampouco propõe reduzir o processo psicanalítico à análise de caráter. Sua proposta é clara: analisar predominantemente as resistências caracteriais para que, aí sim, o trabalho de livre associação possa revelar os conteúdos inconscientes. Neste trabalho de análise das resistências, "o paciente deve descobrir primeiramente que está se defendendo; depois, com que meios se defende e, por último, contra o que se defende".[108]

Com isso, fica também evidente o que havia sido afirmado de que Reich faz análise caracterial e não caracterológica analítica. A psicologia reichiana está interessada em demonstrar que os diferentes caracteres apresentam "simplesmente formas distintas de a couraça egoica agir contra os perigos ameaçantes vindos do mundo externo ou mundo interno. A cortesia exagerada em uma pessoa é tão motivada pela angústia quanto o comportamento áspero e brutal em outra".[109] As inúmeras variações fenomênicas do caráter apresentadas por Reich (histérico, compulsivo, fálico-narcisista, masoquista, aristocrático, passivo-feminino, paranoide-agressivo, impulsivo, inibido, pestífero, depressivo, burocrático etc.) pretendem apenas facilitar ao leitor a visualização da forma típica de agir e reagir do caso que está sendo apresentado.

Reich nunca realizou um quadro monográfico dos tipos caracteriais porque sabia que "a estrutura de caráter é a cristalização do processo sociológico de uma determinada época".[110] As condições históricas, econômicas e sociais interferem na estruturação do caráter e lhe atribuem formas e traços específicos. São essas condições, e sobretudo a valorização dada por Reich a elas na estruturação do caráter, que, a meu ver, não puderam ser aceitas pela doutrina psicanalítica em um período de extrema tensão política e ideológica.

Acompanhar Reich, ainda hoje, em seu pensamento de que "toda ordem social cria as formas caracterológicas necessárias para sua própria preservação"[111] significa considerar que o fenômeno humano se situa no entrecruzamento de forças biológicas, psicológicas e sociais. Significa considerar as transformações operadas pelas forças sociais sobre as demandas pulsionais e suas consequências na estruturação psíquica. Significa ampliar o universo da análise para outras dimensões e não reduzi-lo a um mítico combate interno entre eros e thanatos.

Concluindo esta exposição sobre as relações teóricas entre a psicanálise e a economia sexual, e contrariando opiniões correntes tanto de psicanalistas quanto de reichianos, os quais preferem permanecer dogmaticamente enclausurados em seus sistemas teóricos, minha posição coincide com a de Reich, que via "na economia sexual a continuação da psicanálise freudiana"[112] e buscava na biologia as bases naturais das teorias econômico-libidinais dessa psicanálise.

Retomo o já exposto na introdução deste trabalho. Não está em jogo saber qual sistema teórico é superior ou mais abrangente que outro. Tampouco vem ao caso realizar uma inquisição para restabelecer o lugar de Reich na história da psicanálise. O que está em pauta é verificar se a pesquisa reichiana traz alguma contribuição para uma melhor compreensão do fenômeno humano, e se com isso possibilita um maior alcance da psicologia em suas intervenções clínicas e sociais.

Mesmo que Reich tenha tido de recolher os seus pertences (genitalidade, função do orgasmo, função e formação do caráter) para fundar em outro distrito a sua economia sexual independentemente da psicanálise, sabemos hoje o quanto as fronteiras são arbitrárias. Não há novidade nem para a psicanálise nem para a economia sexual no fato de o humano ultrapassar, em muito, seus referenciais teóricos. Novidade e espanto existem quando vemos praticantes de um ou outro referencial tentarem reduzir e fazer caber o humano em seus sistemas. É este o exato momento em que se deixa de fazer ciência e se passa a praticar teologia. Os nomes psicanálise e economia sexual deveriam ser usados como *referências* a sistemas de pensamento e conhecimento, e não como *reverências* a um saber supremo.

Antes de seguir (averiguando agora as relações entre a prática clínica psicanalítica e a vegetoterapia caracteroanalítica), gostaria de citar uma declaração de Reich sobre seus debates científicos com Freud: "Eis as consequências sociais (de meu pensamento). Nesse plano, Freud era de alguma forma incapaz de me seguir. O que o contrariava não era a técnica de análise caracterial, mas a revolução sexual".[113]

Esta última frase sintetiza o exposto até aqui, no que se refere às contribuições teóricas de Reich à psicanálise. Já vimos que:

- Freud nunca abriu um debate teórico contra as ideias de Reich, como o fizera com relação a Adler, Rank e Jung.[114] Pelo contrário, não se opôs à tentativa de Reich de relacionar a neurastenia à ausência de primazia genital (cf. citação 88).
- A teoria da genitalidade foi acompanhada e apoiada por psicanalistas da época, tais como Fenichel e Ferenczi (cf. citações 79 e 80).
- As teorias reichianas sobre a formação e funções do caráter, além de seguirem as pistas iniciais assinaladas por Freud, Ferenczi, Abraham e Jones (cf. citação 95), lançaram as bases para o trabalho de Anna Freud sobre o ego e os mecanismos de defesa (cf. citação 46).
- Vimos também Reich declarar não ter nada a acrescentar aos princípios de Freud relativos à interpretação do inconsciente (cf. citação 107). Suas principais preocupações consistiam em: 1) desenvolver uma técnica de análise mais eficiente (análise sistemática das resistências e da transferência); e 2) fundamentar as teorias metapsicológicas da psicanálise no solo da biologia e da física.
- Esta segunda preocupação reichiana buscava respostas para as questões mais difíceis e negligenciadas em psicanálise,

segundo o próprio Freud: os aspectos econômicos do funcionamento psíquico (cf. citações 60 e 61).

- De outro lado, vimos que as ideias reichianas de aplicação social e política da psicanálise não foram bem-aceitas pelo movimento psicanalítico. Porta-voz da psicanálise, Anna Freud solicitou o desligamento de Reich da API, por suas misturas de psicanálise e política (cf. citação 32).
- Além disso, Reich falava abertamente contra a postura apolítica e aristocrata dos psicanalistas frente ao perigo nazista (cf. citação 31), provocando ainda mais seus colegas de ciência.
- Concluindo, podemos hoje nos perguntar se o que incomodava Freud era a análise caracterial (incluídas aí a função do orgasmo e a genitalidade) ou a revolução sexual (aplicação da psicanálise no âmbito social, com ênfase nos aspectos profiláticos) proposta por Reich.

PSICANÁLISE E VEGETOTERAPIA CARACTEROANALÍTICA

A TÉCNICA PSICANALÍTICA

A prática da clínica psicanalítica é amplamente conhecida: o paciente deve deitar-se de maneira confortável em um divã e relatar ao analista tudo aquilo que lhe vai passando pela mente. Ao analista cabe, fora do campo visual do paciente, ouvir e interpretar os elementos do discurso de seu paciente. Esta cena, além de bastante conhecida, é também muito antiga. Ela foi concebida por Freud e permanece assim até os dias de hoje. Também é conhecido o percurso realizado por Freud para chegar à cena psicanalítica: experiências e renúncias à catarse e à hipnose.[115]

Agora, se atentarmos para os principais motivos pelos quais Freud renunciou à hipnose e desenvolveu a associação livre (inaugurando, com isso, a terapia psicanalítica), encontraremos dois elementos significativos: eficiência e eficácia. Vejamos como ele relata essa renúncia:

> Logo se demonstrou que as esperanças terapêuticas colocadas no tratamento catártico em estado de hipnose ficavam, em certo sentido, não cumpridas. É verdade que o desaparecimento dos sintomas se produzia paralelamente à catarse, porém o resultado global demonstrou ser totalmente dependente do vínculo do paciente com o médico; se comportava como resultado da "sugestão", e se o vínculo se desfazia, voltavam a emergir todos os sintomas como se nunca se tivessem solucionado. E a isso se somava a considerável restrição para o médico, que a aplicação do procedimento catártico só podia ser usada para um escasso número de pessoas que podiam ser postas em estado hipnótico profundo.[116]

No relato acima, vemos como, para Freud, o tratamento hipnótico não é eficaz nem eficiente. Não é eficaz porque não perdura. Depende da sugestão e da manutenção do vínculo terapeuta-paciente. E não é eficiente porque só pode ser aplicado a um número restrito de pacientes. Contudo, a experiência com a hipnose trouxe a Freud a convicção de que os conteúdos reprimidos no inconsciente tinham o matiz sexual.

Para além de outras questões técnicas, o que é louvável em Freud é o fato de ele não ter se contentado nem se deixado seduzir com os poucos resultados da hipnose. Inventou uma técnica e enfrentou "a frio" o que acabara de descobrir: a sexualidade e seus mil disfarces.

Esse momento é importante porque Freud opera duas mudanças radicais no tratamento das doenças mentais. A primeira e mais evidente é a mudança da técnica de tratamento (da hipnose para a associação livre). A segunda — tão ou mais ousada que a primeira — é a mudança do enfoque. Freud deixa de lado o objetivo de eliminar (suprimir, reprimir) o sintoma, como era o objetivo na hipnose, e passa a se interessar pela história daquele sintoma.

Poderíamos seguir muitas páginas comentando as implicações e os desdobramentos advindos destas mudanças operadas por Freud. Fiquemos apenas com duas delas. A partir da associação livre e sobretudo da mudança de enfoque de tratamento (da sintomatologia para a análise da história do indivíduo), Freud descobriu a imensidão praticamente infinita do inconsciente humano. E encontrou também um novo "problema" para sua nova proposta de tratamento: a transferência.

Com a nova técnica da associação livre, Freud aumentou a eficiência e a eficácia dos tratamentos. É verdade que em algumas ocasiões lamentou não ter proposto uma técnica ainda mais eficiente que a associação livre. Em suas palavras:

> Talvez o futuro nos ensine a influir de forma direta, por meio de substâncias químicas específicas, sobre os volumes de energia e suas distribuições dentro do aparato anímico. Pode ser que se abram para a terapia outras insuspeitas possibilidades; por ora, não possuímos nada melhor que a técnica psicanalítica, razão pela qual não se deveria depreciá-la apesar de suas limitações.[117]

Vemos que Freud reconheceu as limitações de sua técnica, deixando aberta a possibilidade de novas contribuições para os tratamentos psíquicos, ou seja, podemos ver que, já para Freud, teoria e técnica não formam uma unidade indissolúvel e imutável. Ambas podem receber aportes e modificações.

Em resumo, quero enfatizar que a técnica psicanalítica, tal qual é conhecida e praticada até os dias de hoje, é fruto da ousadia de Freud em buscar um tratamento mais eficaz e mais eficiente do que os conhecidos e praticados até então (hipnose, hidroterapia, eletroterapia, quimioterapia etc.). E que essa nova técnica proporcionou uma investigação mais profunda e acurada dos conteúdos do inconsciente.

Examinemos agora a história do desenvolvimento da VCA, levando em consideração os mesmos aspectos ressaltados por mim a respeito do surgimento da técnica psicanalítica: 1) a busca de um procedimento psicoterapêutico mais eficaz; e 2) a busca de um procedimento mais eficiente. Lembremos também a possibilidade, assinalada por Freud, do surgimento de outras técnicas além da sua.

A VEGETOTERAPIA CARACTEROANALÍTICA

A primeira vez que vemos Reich chamar seu novo procedimento clínico de vegetoterapia é para lamentar a publicação de um artigo contrário à sua nova técnica corporal, em 27 de outubro de 1937.[118] Depois disso, em uma carta a Walter Briehl (30 de março de 1938), Reich volta a utilizar o termo vegetoterapia e análise de caráter.[119]

Embora já estivesse trabalhando com algum tipo de técnica corporal em seu trabalho clínico, até 1936 Reich nomeia seu trabalho como análise de caráter.[120] Sabemos também que, em 1938, Reich dá cursos de formação e chama seus alunos de vegetoterapeutas.[121]

Oficialmente, talvez possamos assim dizer, o termo vegetoterapia aparece pela primeira vez em um artigo de Reich, denominado "Reflexo orgástico, atitude muscular e expressão corporal", de 1937.[122] Nesse artigo (provavelmente reescrito, para compor o capítulo 8 de *A função do orgasmo,* de 1942), Reich declara estar "praticando a vegetoterapia com estudantes e pacientes há seis anos, mais ou menos".[123]

Podemos, com esses dados, situar o nascimento da clínica corporal reichiana nos anos 1934-5 e registrar seu nome de batismo, como vegetoterapia caracteroanalítica, no ano de 1937. Ainda no plano cronológico, com a descoberta da energia orgone (1948), Reich passou a nomear seu trabalho clínico de orgonoterapia.[124] Mas, afinal, o que significa este longo e estranho nome, VCA?

O termo vegetoterapia faz referência ao sistema nervoso vegetativo, atualmente denominado sistema nervoso autônomo. Esse sistema, encarregado das funções autônomas do organismo, se divide em dois subsistemas: simpático e parassimpático.

O primeiro livro de Reich foi publicado em 1927. Com o título *A função do orgasmo* (e o subtítulo *Psicopatologia e sociologia da vida sexual),* Reich apresenta suas pesquisas e conclusões sobre as "relações causais sistemáticas entre os processos de neurose e as perturbações da função genital".[125]

Este é o trabalho já mencionado (cf. citação 87), friamente recebido por Freud, mas não refutado pelo mestre. Por que Freud não teria gostado desta teoria de Reich? A explicação mais plausível relaciona-se com o fato de que a tese central de Reich fala do sentimento de angústia como consequência de uma conversão da libido genital não descarregada. Em outros termos, a angústia é resultado de uma estase libidinal, a qual, por sua vez, foi provocada por uma repressão. Bem, esta era a tese de Freud em seus primeiros trabalhos (os "Três ensaios", por exemplo), mas depois abandonada e substituída em "O problema econômico do masoquismo"[126] e "Inibição, sintoma e angústia".[127] Nesses textos, Freud inverte a equação e propõe a angústia como causa da repressão.

Embora a questão da angústia (causa ou consequência?) seja o marco inicial das divergências científicas entre Freud e Reich, e mereça por isso um estudo cuidadoso e aprofundado, deixo-a de lado para retomar o curso do desenvolvimento da VCA. Independentemente de quem tenha razão nesta polêmica, é importante ressaltar o fato de Reich ter mantido sua posição, mesmo correndo o risco de desafiar o mestre.

Voltemos ao desenvolvimento da VCA. Em seu trabalho clínico e ambulatorial, Reich foi percebendo que seus pacientes, quando relatavam situações de constrangimento, também as relatavam com seu corpo, isto é, expressavam corporalmente esses constrangimentos (contraíam as mãos, gaguejavam, alteravam o tom de voz, mudavam o ritmo respiratório etc.). Foi então estabelecendo uma íntima relação entre a angústia e as expressões corporais.

O leitor interessado encontrará todo o estudo detalhado das relações entre os processos psíquicos e suas expressões biológicas no capítulo 7 ("A irrupção no campo biológico") de seu livro *A função do orgasmo* (1942). Também é importante assinalar que as pesquisas de Reich no campo biológico são uma primeira aproximação para a compreensão da unidade funcional soma-psique. Pesquisas atuais no campo da biologia e da neurologia indicam outras fontes de interferência e de compreensão desta unidade funcional, além do sistema nervoso vegetativo (simpático-parassimpático) ou autônomo. Isso, contudo, não invalida a pesquisa reichiana. Pelo contrário, atesta que suas ideias pioneiras indicaram o caminho e lançaram as bases para as futuras pesquisas e teorias a respeito das relações entre psique e corpo.

Coloquemos assim: da hipótese primeira de Freud sobre o funcionamento psíquico (princípio do desprazer-prazer), hipótese aliás vinda da biologia, Reich procurou estabelecer a relação desse princípio com o funcionamento somático vegetativo (simpático = encolhimento, tensão, inibição, contração = angústia, e parassimpático = expansão, relaxamento = prazer).

Creio que seja desnecessário discorrer sobre o funcionamento dialético do sistema vegetativo (simpático-parassimpático). O importante, no momento, é compreender que uma inibição exagerada pode levar a uma alteração do funcionamento vegetativo, provocando, com isso, um aumento de tensão (estase), a qual será percebida como angústia.

Vimos então que Reich estabeleceu a íntima relação entre o biológico (sistema vegetativo) e o psicológico (emoções).

Sabemos, porém, e com Reich e Freud, que essa relação não é simples nem imediata. Reconhecemos a existência de estruturas (sistemas ou funções) operando e mediatizando essa relação. Uma delas é conhecida como ego ou, na linguagem reichiana, caráter do ego.

Aprendemos com Freud (cf. citação 98) que o ego é a instância psíquica responsável, entre outras coisas, pelos acessos à mobilidade corporal. Sabemos também que o ego surge como uma representação das experiências vividas através do corpo; que o ego surge como uma essência-corpo. E compreendemos também (cf. citação 101) como Reich, em acordo com Freud, atribui ao caráter do ego a capacidade de agir sobre a musculatura, permitindo ou inibindo uma ação corporal. Deixemos consignado que é o ego quem decide (consciente e/ou inconscientemente) se determinada tensão vai ser desfeita em ato ou se vai ser inibida. E que, nessa decisão, vemo-lo intermediar o fenômeno biopsíquico. Retomemos o esquema clássico psicanalítico. Quando uma pulsão (representante psíquico das excitações somáticas) é reconhecida pelo ego como válida, recebe autorização para seguir adiante. Mas quando, por variadas razões, uma pulsão é considerada imprópria, a execução da ação, a descarga das excitações somáticas, cuja pulsão é representante, deve ser bloqueada. Ao ego cabe, como instância centralizadora e organizadora do psiquismo, avaliar a situação e executar ou bloquear a ação solicitada. No primeiro caso (execução), a coordenação do ego sobre o aparelho motor é evidente. No segundo caso (bloqueio), essa coordenação é mais sutil, pois se expressa em uma "não ação" corporal.

Lembremos ainda duas premissas psicanalíticas. A primeira delas nos diz que a pulsão

> é o conceito-limite entre o psíquico e o somático, como um representante (*repräsentant*) psíquico dos estímulos que provêm do interior do corpo e alcançam a alma, como uma medida de exigência de trabalho que é imposta ao anímico como consequência de sua interação com o corporal.[128]

A fonte da pulsão é "um processo somático, interior a um órgão ou uma parte do corpo"[129] e sua meta é, "em todos os casos, a satisfação que só pode ser alcançada cancelando-se o estado de estimulação da fonte da pulsão".[130]

A segunda premissa fala do caráter incoercível da pulsão. No caso da incidência de uma repressão sobre uma pulsão:

> Não poderíamos imaginar o processo de repressão como um acontecimento que se consumaria de uma só vez e teria um resultado permanente, como

> se esmagássemos algo vivo que então permaneceria morto. Não, a repressão exige um gasto de força constante; caso cessasse, colocaria em risco seu resultado, tornando-se necessário outro ato repressivo. Podemos imaginar assim: o reprimido exerce uma pressão (*druck*) contínua em direção ao consciente, à raiz da qual o equilíbrio deve manter-se por meio de uma contrapressão (*Gegendruck*) constante. A manutenção de uma repressão supõe, portanto, um dispêndio contínuo de força, e em termos econômicos seu cancelamento implicaria em uma economia.[131]

De posse dessas premissas, voltemos ao nosso assunto: a VCA. A pulsão é representante de uma excitação somática. Ela avisa ao ego que existe uma sobrecarga energética no corpo. O fato de o ego tentar reprimir uma pulsão (no caso de esta lhe parecer inconveniente) não resolve o problema da fonte da pulsão. As excitações somáticas seguem existindo (e aumentando) e enviando seus representantes (pulsões) ao psiquismo. O ego pode tentar o bloqueio (repressão) das fontes de excitação somática. Como? Agindo corporalmente nessas fontes somáticas, por meio da musculatura. O ego tem o controle da musculatura e pode contraí-la, diminuindo assim o funcionamento do sistema vegetativo, sede das excitações somáticas.

Resumidamente, podemos dizer que foi isto que Reich percebeu: a cada processo repressivo psíquico corresponde um processo repressivo corporal. Na clínica, a cada interrupção do processo associativo Reich percebia uma contração muscular. Passou então a observar as expressões corporais, os movimentos, as tensões. E tratou de levar em consideração não só *o que* o paciente dizia, mas *como* ele dizia. Em outros termos, além de ouvir o discurso do paciente, passou também a ler o discurso do corpo do paciente.

Reich considerou o sistema vegetativo como fonte das excitações somáticas. E percebeu a ação repressora do ego sobre a fonte dessas excitações, realizada pela musculatura. Sua ideia de propor uma terapêutica de ação sobre a musculatura (para cancelar a repressão vigente nas fontes somáticas, isto é, no sistema vegetativo) nos parece hoje a consequência mais lógica e evidente de sua linha de raciocínio psicanalítica: com o cancelamento da ação repressora, os elementos (então inconscientes) acessam a consciência. Se esse princípio é válido para o psiquismo, também pode ser para o somático.

Há muito mais o que dizer a respeito da VCA. Esta sucinta apresentação pode ter gerado dúvidas e excitado a curiosidade do leitor. Fico contente, caso isso tenha ocorrido até aqui. E espero conseguir responder a essas dúvidas e curiosidades no decorrer deste trabalho. Como eu já havia exposto na introdução, o assunto é — acadêmica e literariamente — pouco conhecido, o que exige compreensão e paciência (do leitor e do autor) na apresentação e desenvolvimento do texto.

Mesmo com lacunas, espero ter elucidado algumas questões. A primeira delas: o significado do termo vegetoterapia compreende um aspecto teórico e outro prático. No aspecto, ou plano, teórico, Reich localiza no sistema vegetativo a fonte biológica pulsional da metapsicologia freudiana. Concomitantemente, estabelece a dimensão corpórea do ego ao demonstrar suas ações por meio da musculatura voluntária. No plano prático, a terapêutica reichiana vai incidir sobre o corpo de forma a propiciar uma maior fluência dos conteúdos inconscientes para a consciência.

A segunda questão é a postura científica de Reich. Assim como louvamos o cientista Freud por não ter se acomodado com a técnica hipnótica de seus mestres e ter ousado criar uma nova técnica (associação livre) para pesquisar aquilo que era a sua convicção (a essência sexual do inconsciente dinamicamente reprimido), também devemos reconhecer em Reich a ousadia e a honestidade de permanecer coerente com suas descobertas, mesmo a contragosto de Freud.

Recordemos ainda o fato de Reich não estar em desacordo com Freud no tocante às teorias do inconsciente e da função do trabalho analítico (cf. citação 107). Seus propósitos se dirigiam para a concepção e execução de uma prática analítica mais eficaz e mais eficiente. Nesse afã, concebeu a teoria do caráter, realizou a análise sistemática do caráter (incluídas aí as análises sistemáticas das resistências e da transferência) e desenvolveu a técnica psicanalítica com abordagem corporal.

Se a inserção do corpo na psicoterapia pode torná-la mais eficiente e eficaz, não é assunto que se resolve com um sim ou um não categóricos. A presença do corpo na cena analítica, por si só, não responde à questão. Sabemos que existem outras variáveis interferindo na cena analítica. Uma delas, a transferência, é justamente o assunto em tese neste trabalho. E isso, espero, será esclarecido adiante, na apresentação e discussão dos casos clínicos.

Antes de seguir, verificando o surgimento de algumas escolas de psicoterapia corporal oriundas da psicologia reichiana, é preciso esclarecer os outros dois termos da VCA: caráter e analítico. Vamos a eles.

Até 1934, Reich era um psicanalista no sentido estrito. Não só porque ainda pertencia aos quadros da API, mas também porque trabalhava em sua clínica segundo o modelo clássico psicanalítico: o paciente deitado no divã, fazendo associações livres. Entretanto, a partir dos anos 1924-5,[132] sua escuta psicanalítica já não era tão clássica assim. Nesse período, Reich começava a perceber que não se devia interpretar direta e imediatamente todo e qualquer material trazido pelo paciente. Percebeu que os mais diferentes materiais provinham de diferentes camadas (regiões, instâncias) do psiquismo. Além disso, também notava que, mesmo diante de interpretações corretas de conteúdo, surgiam determinadas resistências a essas interpretações, inviabilizando-as. Essas observações levaram Reich a pensar e elaborar uma teoria de sistematização da técnica analítica. O resultado desse trabalho constitui a primeira parte de seu livro *Análise do caráter*, considerado até hoje um clássico sobre a técnica psicanalítica da interpretação das resistências e da transferência.[133] Por tudo isso, Reich foi considerado um clínico brilhante nos meios psicanalíticos.

Os motivos pelos quais Reich manteve o termo *analítico* na VCA podem ser assim alinhados: Reich era um bom analista e sabia disso. Mesmo depois de 1934, ele tinha seu trabalho de análise do caráter e economia sexual como um prolongamento da psicanálise de Freud.[134] Além disso, ou melhor, prova disso é seu relato sobre a VCA:

> O tratamento vegetoterapêutico das atitudes musculares se entrelaça de uma maneira bem definida com o trabalho sobre as atitudes caracteriais. Ele não substitui de forma alguma o trabalho de análise de caráter. Ele o completa. Ou melhor, é o mesmo trabalho, mas intervém em um nível mais profundo do organismo biológico. Porque, como sabemos, a couraça caracterial e a couraça muscular são completamente idênticas. Também poderíamos dizer da vegetoterapia que ela é uma análise de caráter no domínio do funcionamento biofísico.
> Entretanto, a identidade da couraça caracterial e a da couraça muscular têm um corolário. As atitudes caracteriais podem ser desfeitas pela dissolução da couraça muscular e, inversamente, as atitudes musculares podem ser desfeitas pela dissolução das particularidades caracteriais. Quem teve experiência com o potencial da vegetoterapia muscular se sente tentado a renunciar ao trabalho caracteroanalítico. Mas a prática cotidiana ensina rapidamente que não se deve excluir uma ou outra forma de trabalho. Em um tipo de paciente, o trabalho sobre as atitudes musculares predominará, desde o início do tratamento. Em outro, será o trabalho sobre as atitudes caracteriais. Em um terceiro, o trabalho sobre o caráter será feito concomitantemente ao trabalho sobre a musculatura.[135]

Nada mais claro. A VCA, tal qual concebida por Reich, é uma técnica psicoterapêutica que associa a atividade corporal (vegetoterapia) ao trabalho interpretativo verbal (análise do caráter). Não há, portanto, uma prevalência *a priori* de um tipo de trabalho sobre o outro. Na prática clínica, o que determina a utilização de um ou outro recurso é, ou deveria ser, a experiência e a sensibilidade do terapeuta para perceber os momentos oportunos e adequados. Finalizando, e esta é a minha filiação à VCA proposta por Reich, trabalho corporal e trabalho verbal associam-se, complementam-se no objetivo de uma prática clínica mais eficiente e mais eficaz.

A respeito do terceiro termo componente da VCA, o caráter, acredito que já tenha sido suficientemente apresentado. À guisa de complementação sobre o que foi explicado sobre o caráter, na VCA a análise de caráter também é praticada no que se refere à couraça muscular. Dito de outro modo, o trabalho corporal não é aleatório. Ele segue uma sistemática e, como no caso da análise de caráter verbal, deve derivar "da situação analítica, pela via da análise exata de seus pormenores".[136] Pois, embora possamos ter

> certas generalizações técnicas válidas, elas pouco significam quando comparadas com o princípio básico de que em cada caso individual a técnica deve vir do próprio caso e da situação individual, sem perder ao mesmo tempo a visão geral do processo analítico.[137]

Vejamos se compreendemos um pouco mais a VCA, agora relacionada a algumas outras escolas psicorporais.

VEGETOTERAPIA CARACTEROANALÍTICA E OUTRAS PSICOTERAPIAS CORPORAIS

As coisas seriam relativamente simples se Reich tivesse ficado satisfeito com a concepção e os resultados obtidos com a VCA. Hoje, provavelmente teríamos uma única técnica corporal: a VCA, conhecida também como psicoterapia reichiana. Um rápido voo pelo continente das terapias psicorporais revela, entretanto, uma grande quantidade e diversidade de técnicas, linhas, escolas e abordagens corporais, entre as quais algumas neo e pós-reichianas.

Discorrer sobre a VCA e algumas outras psicoterapias corporais, sobretudo as mais conhecidas entre aquelas desenvolvidas a partir do referencial reichiano, é o assunto deste item. Quero explicitar desde já que o objetivo não é utilizar as escolas mencionadas adiante como contraponto para o enaltecimento da VCA e da economia sexual. Estas escolas não estão aqui para servir de *sparring* da VCA. Pelo contrário, procurarei mostrar que estas diferentes escolas de psicologia e psicoterapia corporal são o resultado das diferentes possibilidades de leitura da obra de Reich, aliadas à sensibilidade e criatividade de cada autor.

Podemos pensar que a VCA e a orgonoterapia, por representarem escolas cujos nomes foram dados pelo próprio Reich, seriam por isso as mais fiéis e ortodoxas psicoterapias reichianas. Isso poderia ser verdade, a partir de uma análise e interpretação genealógica. Em todo caso, essa genealogia não nos garantiria um outro aspecto, seguramente mais importante. Refiro-me ao aspecto, já tão falado neste trabalho, de eficiência e eficácia. Ora, uma psicoterapia neo ou pós-reichiana pode ser tão boa ou melhor que uma psicoterapia reichiana. Aliás, se estas novas abordagens surgiram no cenário das psicoterapias, é porque acreditavam estar apresentando algo melhor que o já conhecido e praticado.

Ninguém duvida que Reich foi melhor clínico que seu mestre. E nenhum psicorporal duvida que a VCA proposta por Reich foi uma contribuição para os tratamentos psicoterápicos. Sendo assim, não há por que duvidar que se possam conceber uma psicologia e uma psicoterapia corporais mais abrangentes e mais efetivas que a de Reich.

Em adição, repito que teoria e técnica não formam uma unidade indissolúvel. Isso fica patente e evidente no caso da psicologia reichiana. Veremos adiante como Reich experimentou diversas técnicas a partir do mesmo referencial teórico. O importante não é manter uma fidelidade cega e compulsória entre teoria e técnica. O essencial é que teoria e técnica guardem entre si uma relação de coerência e consistência. O que não é pouca coisa.

Isso esclarecido, vejamos um pouco mais da história do desenvolvimento da(s) psicoterapia(s) reichiana(s). Espero, assim, preencher algumas das lacunas deixadas anteriormente, sobretudo no que se refere à VCA.

VEGETOTERAPIA CARACTEROANALÍTICA

A VCA surge no cenário das psicoterapias depois de 1935. Utilizarei como principal referência bibliográfica o texto "Contato psíquico e corrente vegetativa",[138] contido no livro *Análise do caráter.*

O referido texto, adverte Reich, "amplia um trabalho lido no 13º Congresso Internacional de Psicanálise, em Lucerna em agosto de 1934".[139] Destacarei algumas passagens desse artigo, para podermos situar as origens da VCA e do trabalho corporal.

A primeira observação é de ordem cronológica. No artigo, escrito em 1935, Reich utiliza os termos economia sexual, corrente vegetativa e análise de caráter, mas não fala em vegetoterapia. Isso significa dizer que, até essa data, ela não está nomeada. Porém, mais importante que a formalização do nome, a vegetoterapia (isto é, uma psicoterapia com trabalho corporal) não está, ainda, sendo praticada. Ao apresentar algumas situações clínicas, Reich ilustra o que estou querendo mostrar.

Vejamos alguns de seus relatos:

> Um exemplo clínico típico revelará um fato geralmente negligenciado. É necessário voltar a assinalar que um controle destes fenômenos clínicos é impossível sem aplicar a técnica *caracteroanalítica* [grifo meu], que libera totalmente as excitações vegetativas.[140]

Aqui, conforme grifado por mim, e durante todo o texto, Reich utiliza o termo caracteroanalítico, ou análise de caráter, sem qualquer menção à vegetoterapia. Sigamos com Reich:

> Para começar, a observação clínica revela uma série de eventos peculiares. A inibição da agressão e o encouraçamento psíquico vão em paralelo a um aumento do tônus, podendo chegar a uma rigidez da musculatura. Os pacientes com bloqueio afetivo *deitam-se no divã* [grifo meu] duros como

> uma tábua, sem movimento algum [...]. Em outros casos, os pacientes realizam diversos movimentos inconscientes, e quando lhes pedimos que os interrompam, surgem imediatamente sensações de angústia.[141]

> [...] a rudeza do paciente e sua rigidez muscular eram tão evidentes quanto o comportamento psíquico que acabara de descrever. *Deitava-se no divã* [grifo meu] duro como uma tábua, sem mover-se.[142]

Nas duas passagens anteriores, notamos que o enquadramento cênico não se alterou: o paciente deita-se e o analista interpreta. A diferença apresentada pela análise de caráter está em outro lugar: naquilo que se interpreta. Vejamos isso a partir de Reich:

> Para se eliminar a falta de contato, não basta reconstruir a história de seu desenvolvimento ou descobrir os impulsos reprimidos e repressores, constituintes dela. Pelo contrário, como com toda atitude caracterológica, o paciente deve aprender a concebê-la objetivamente antes de poder dissolvê-la analiticamente. A medida mais importante para se conseguir isso é uma *descrição exata de seu comportamento* [grifo meu].[143]

> [...] Outro paciente apresentava movimentos espasmódicos, nada harmônicos, dos quais não tinha consciência; era uma espécie de tique. Se eu tivesse interpretado os motivos libidinais desses movimentos, por exemplo seu significado masturbatório, o resultado não teria sido o mesmo. Assinalei primeiro que se tratava de movimentos contidos, de uma defesa contra a dolorosa percepção de seu aspecto, pois sua vaidade lhe dificultava admitir certas características pessoais. *Minha interpretação* [grifo meu] dessa defesa resultou em uma grande excitação, um aumento do tique e da contenção e, para minha surpresa, violentas convulsões da musculatura abdominal.[144]

Nestas duas últimas passagens, é possível vermos dois pontos importantes da análise de caráter, praticada por Reich até 1935. O primeiro ponto diz respeito ao trabalho interpretativo, portanto verbal, e por isso mesmo ainda não corporal, embora já atento às atitudes corporais do paciente. Até esse momento, Reich não trabalha sobre o corpo do paciente (seja manipulando, seja sugerindo que ele aja sobre o próprio corpo), limitando-se a descrever e interpretar o que percebe das atitudes corporais de seu paciente.

Ao escrever o parágrafo acima, me surgiu a seguinte dúvida: o fato de um analista interpretar ou descrever uma atitude corporal de seu paciente já não se constituiria em uma abordagem corporal? Investigando um pouco mais, pergunto: quando o analista percebe que o paciente "se produz" para a consulta (com uma roupa especial, com um perfume, um adorno, um desodorante bucal etc.), está realizando uma leitura corporal? Quando o analista assinala algum "trejeito" (gesto, alteração de voz etc.) do paciente, está realizando uma intervenção corporal? *O lapsus linguae* é um ato corporal?

O leitor que tiver respondido afirmativamente a pelo menos uma das perguntas acima compreenderá que a abordagem corporal reichiana não se reduz a uma série predeterminada de manobras e intervenções sobre o corpo biológico do paciente, produzindo, com isso, gritos e sussurros. Entenderá que a unidade funcional soma-psique se expressa nas atitudes caracteriais, na couraça muscular, nas roupas, no estilo de vida etc. Perceberá, tão bem como Rosa Toniolo,[145] que a decoração do quarto de um adolescente expressa sua pujante personalidade. Compreenderá, enfim, que a proposta reichiana de incorporar ao *que* analítico (o conteúdo do discurso do paciente) o *como* (forma com a qual o paciente se expressa) pode ampliar o campo interpretativo da análise, tornando-a mais rica, mais abrangente, mais profunda.

Interpretar (ou descrever) esse *como* é o segundo ponto que ressalto a respeito da análise de caráter. No caso do paciente com tique, antes de decifrar o significado inconsciente (masturbatório) desse tique, Reich, pela interpretação, fez o paciente entrar em contato com sua manifestação corporal (o tique). Perceber a expressão corporal, entrar em contato com *como* o conflito se expressa corporalmente levou, no caso, a uma exacerbação do sintoma (o tique), à sua contenção e, por fim, a violentas convulsões abdominais.

Partindo desta breve exposição sobre os primórdios da abordagem corporal na análise de caráter reichiana, chegamos a uma primeira conclusão: todo analista que assinala (descreve, interpreta) *como* seu paciente se expressa — movimentos corporais, expressões faciais, alteração do tom de voz etc. — está, quer reconheça isso, quer não, realizando uma leitura e uma intervenção corporal. O passo seguinte é saber se o analista deseja seguir as consequências e os desdobramentos operados pela leitura e intervenção corporal. Este foi o percurso de Reich. Retomemos este caminho.

Em 1920, Reich entra em contato com a psicanálise. Já traz em sua bagagem a convicção de que a sexualidade é o núcleo central da vida individual, social e espiritual do sujeito. Incorpora as teorias psicanalíticas do desenvolvimento psicossexual, da repressão, do inconsciente, da transferência e as desenvolve com contribuições originais. Desses desenvolvimentos resultam, entrelaçadas, as teorias da função do orgasmo (1926), da técnica de análise sistemática do caráter (1929), e da formação e das funções do caráter (1930).

Entre os anos 1930 e 1934, Reich investe seu tempo na criação e manutenção da Sexpol, além de seguir praticando a psicanálise clínica e ambulatorial. Sua enorme preocupação com uma psicanálise de aplicação social é revelada em sua produção literária, quase integralmente dedicada à articulação entre psicanálise e ciências sociais (antropologia, sociologia e política). Embora isso justifique a escassa produção de textos clínicos nesse período, não se pode deixar de citar, além do já mencionado trabalho sobre "Contato psíquico e corrente vegetativa", o excelente texto de Reich sobre "O caráter masoquista",[146] escrito em 1932.

Em 1933, Reich é obrigado a exilar-se. Entre 1933 e 1934, procura refúgio político na Dinamarca, na Suécia e, finalmente, se estabelece na Noruega. A partir de 1934, em Oslo, ele vai dispor de condições que lhe permitirão desenvolver suas pesquisas em fisiologia e biofísica. A primeira condição é temporal: impossibilitado de exercer atividades políticas e desiludido com a política partidária, Reich dispõe de mais tempo para suas pesquisas. A segunda condição é material: o grupo norueguês de psicanalistas não só o recebe em sua instituição como também lhe oferece o laboratório do Instituto de Psicologia de Oslo. A terceira condição é de ordem afetiva: é convidado a ministrar cursos e a seguir os atendimentos de seus alunos-pacientes (o que lhe garante o sustento financeiro). Além disso, vários desses alunos se dispõem a participar de seus experimentos laboratoriais. Até 1937 (quando se iniciam campanhas difamatórias contra sua pessoa e seu trabalho), vive um momento muito feliz,[147] no qual pode, finalmente, pesquisar a dimensão biofísica da libido freudiana. Descobre a bioeletricidade (depois chamada de bioenergia), estabelece a relação biofísica entre sexualidade e angústia[148] e aprofunda suas pesquisas em biologia celular.[149]

Essas pesquisas laboratoriais têm consequências clínicas. O restabelecimento do reflexo orgástico passa a ser o objetivo máximo do tratamento,[150] agora oficialmente denominado VCA. E, para atingir tal objetivo, Reich realiza diferentes experiências corporais com seus pacientes. Nessas experiências, ele vai além da interpretação e da descrição corporal, passando a interferir diretamente no corpo do paciente, caracterizando, com isso, o trabalho corporal propriamente dito.

Podemos perceber, pelos relatos clínicos de Reich, dois tipos básicos de interferência ou trabalho corporal. No primeiro, o terapeuta estabelece o contato corporal, isto é, toca, manipula o corpo do paciente; no segundo, o terapeuta, em vez de tocar ou manipular o corpo do paciente, sugere que o próprio paciente o faça, ou seja, se movimente, se contraia, altere o próprio ritmo respiratório etc. Vejamos dois relatos de Reich para exemplificar esses tipos básicos.

> O meio mais eficaz de produzir o reflexo orgástico é uma técnica respiratória que se desenvolveu quase espontaneamente no curso de meu trabalho. Não há nenhum indivíduo neurótico que seja capaz de expirar de uma vez, profunda e uniformemente [...]. Como preparação para o processo de produção do reflexo orgástico, solicito aos meus pacientes que respirem profundamente em seu próprio ritmo.[151]

> [...] Um outro método de produção do reflexo orgástico consiste em uma suave pressão sobre o abdômen superior. Coloco as pontas dos dedos das duas mãos entre o umbigo e o osso externo do paciente e peço que respire profundamente. Durante a expiração, faço pressão sobre o abdômen, de maneira progressiva e suave. As reações são diferentes em diferentes pacientes.[152]

Pelos relatos acima, vemos duas formas diferentes como Reich realiza o trabalho corporal: com e sem toque. E também podemos perceber mais uma mudança no trabalho reichiano. O paciente continua deitado, como sempre. Na análise de caráter, o *como* era assinalado e descrito. Agora, na VCA, o trabalho vai incidir sobre esse *como*, ou seja, o acesso ao inconsciente será por meio do corpo. O trabalho interpretativo e as associações continuam existindo, mas não são mais o ponto de partida do processo terapêutico.

Freud descobriu no sonho a via régia para o inconsciente. Analogamente, Reich viu nas expressões corporais a via de acesso à unidade funcional soma-psique. Não é difícil imaginar os desdobramentos dessa descoberta em Reich e em sua atividade clínica: trabalhos corporais sem toque, trabalhos corporais com toque, trabalhos corporais com interpretação e mesmo trabalhos corporais sem interpretação. Além disso, trabalhos corporais "suaves" e "doloridos". A esse respeito, vejamos um relato de Eva Reich (filha e colaboradora de Reich):

> Em meu trabalho, como sua assistente, fui influenciada pelo lado suave da vegetoterapia de Wilhelm Reich, vegetoterapia que tinha também seu lado

> duro. Nos últimos tempos, tenho confirmado isso por intermédio de alguns de seus antigos colaboradores. Durante as partes duras do tratamento, os pacientes gritavam de dor e, terminada a sessão, todos os seus ossos lhes doíam. Mas meu pai também trabalhava de modo suave, coisa que ele — penso eu — pouco revelava.[153]

Com isso, quero mostrar que o pioneiro das abordagens corporais realizou diferentes experiências na clínica psicorporal. E que, embora essa clínica tenha recebido o nome de VCA (de 1937 até 1945-8)[154] e posteriormente orgonoterapia, não podemos falar em uma única forma restrita de concebê-la e praticá-la, ou seja, o nome VCA engloba diferentes trabalhos psicorporais (suaves, duros, com e sem toque, com e sem trabalho verbal), no mais das vezes de forma integrada, e não isolada. Voltarei a este tema posteriormente, pois é dessa variedade de experiências e momentos de Reich que podem ter se originado (ou ao menos servido de inspiração) algumas psicoterapias corporais.

Voltemos à nossa linha cronológica de desenvolvimento da VCA. Até o fim dos anos 1920, o trabalho clínico de Reich tem o nome de psicanálise. Depois disso, e até 1936, é denominado análise de caráter. A partir de 1937, Reich o nomeia VCA. E finalmente, com a descoberta da energia orgone e a utilização dos acumuladores dessa energia, passa a chamar sua terapia de orgonoterapia (1945-8).

ORGONOTERAPIA

Discorrer sobre a orgonoterapia enquanto técnica de trabalho psicorporal é uma tarefa que apresenta uma série de dificuldades. A primeira delas é a falta de material bibliográfico original, isto é, a falta de registros clínicos de Reich em orgonoterapia.

É possível que Reich tenha registrado em detalhes ao menos um caso clínico em orgonoterapia. Em todo caso, e infelizmente, esse tão desejado relato não consta de nenhum livro conhecido. Que o leitor perdoe minha insistência no assunto, uma vez que o tema é importante, pelo menos de uma perspectiva histórica.

Reich foi um clínico brilhante, reconhecido até mesmo pelos seus desafetos.

Tinha a honestidade de reconhecer publicamente seus erros e procurava aprender com eles. Seus relatos clínicos são ricamente detalhados, desde "O tique psicogênico ",[155] passando pelo "Caráter masoquita ",[156] até o caso relatado da "Cisão esquizofrênica".[157]

Sobre este último caso clínico, é preciso dizer algo. Muito embora Reich faça um relato detalhado deste caso, com uma linguagem absolutamente ergonômica, não se pode deixar de atentar para o seguinte fato: ele redigiu este atendimento em 1948, período já da ergonomia e da orgonoterapia. Entretanto, o atendimento foi realizado entre 1940 e 1942, período da VCA. Trocando em miúdos e deixando bem claro: o relato é ergonômico, mas o atendimento foi vegetoterapêutico! Este detalhe é importante e, espero, ficará claro adiante.

Voltemos à história dos relatos. Por que Reich não publicou um livro especificamente voltado para a orgonoterapia? Tomemos como ponto de partida as palavras de Eva Reich: "Na última fase de sua vida, Wilhelm Reich não conduzia mais terapias individuais. Concentrava-se na prevenção de neuroses e, algum tempo depois, em pesquisas sobre outras áreas".[158]

Podemos entender esta "última fase" nos seguintes termos:

Reich estava completamente desiludido quanto a uma "revolução sexual" a partir do homem adulto. Deixou isso claro em 1948[159] e em 1952 ao afirmar que

> a terapia individual não leva a nada! A nada. Só serve para ganhar dinheiro e ajudar aqui e ali. Mas ela não tem utilidade quando se trata de resolver problemas sociais e de higiene mental! É por isso que eu renunciei. A única coisa que importa são os bebês. É preciso cuidar dos protoplasmas ainda sadios.[160]

Em 1950, Reich deixou Nova York e mudou-se definitivamente para uma fazenda no Maine. Seu principal interesse e suas pesquisas estavam voltados para a energia orgone atmosférica.

É possível que ele, nesta última fase de orgonoterapia, tenha realizado um trabalho eminentemente corporal, acreditando poder restabelecer a saúde total do paciente agindo apenas sobre o corpo. Podemos ver isso no livro escrito por Orson Bean[161] a respeito de seu tratamento orgonoterápico com Elsworth Baker. Nessa obra, Bean discorre sobre seu tratamento: sessões e sessões de tratamento físico ou massagens e manipulações extremamente profundas e doloridas, porém libertadoras. Em todo caso, já não havia mais verbalizações, interpretações.

O próprio Reich deixa claro o seu ponto de vista, quando afirma que "na orgonoterapia nosso ponto de partida é de índole bioenergética e não mais psicológica".[162]

Concluindo, podemos pensar que a alteração da VCA para orgonoterapia não se deve apenas à utilização de acumuladores de energia orgone, agregada à primeira. Na orgonoterapia, as verbalizações, as representações, as interpretações vão perdendo importância. O restabelecimento do funcionamento biofísico é o objetivo máximo.

Uma outra dificuldade em apresentar a orgonoterapia é minha inexperiência nesse tipo de tratamento. Aliada à falta de material bibliográfico, não temos como dizer se a orgonoterapia é uma terapia biofísica e não mais uma psicoterapia. Não sabemos *se* e *como* a relação transferencial (transferência-contratransferência) é abordada; se essa relação se desfaz por si só ou se permanece de forma latente. Estas e outras questões precisam ser respondidas para conhecermos melhor a orgonoterapia em sua proposta e alcance.

Existe também a armadilha dos nomes. Vimos que, a partir de Reich, a VCA compreende uma terapia corporal aliada à análise de caráter, e que a orgonoterapia se refere a uma terapia biofísica.

Mas também vemos Reich justificar a mudança de nomes, para evitar confusões da vegetoterapia com terapia de vegetais.[163] Portanto, na atualidade, quando um terapeuta reichiano se identifica como orgonoterapeuta, não quer dizer que trabalhe apenas com a biofísica. Ele pode trabalhar com o referencial da VCA, mas não gostar de ser confundido com um hortifruticulturista.

Espero que com isso fique também justificada a escolha do termo vegetoterapia, e não orgonoterapia, para este estudo. O fundamental é a questão transferencial no trabalho corporal. Por tudo o que vimos até aqui, a análise de transferência está muito mais associada ao nome VCA do que ao nome orgonoterapia. A escolha do nome VCA foi, portanto, neste sentido.

Além da VCA e da orgonoterapia, encontramos várias outras práticas psicorporais. Veremos a seguir algumas delas. Insisto mais uma vez que esta apresentação tem como objetivo abrir perspectivas para uma visão mais ampla do universo das psicoterapias corporais. É um esboço, e não um compêndio. Trata-se de identificar a psicologia reichiana como fonte de origem e de inspiração dessas psicoterapias, como contribuição para uma futura história das psicoterapias corporais. Afinal, não se pode negar a Reich o lugar de pioneiro neste campo.

BIOENERGÉTICA

Sem dúvida alguma, a bioenergética é a mais conhecida das psicoterapias corporais. Muitas vezes seu nome é utilizado como sinônimo de psicologia reichiana. Observamos isso, por exemplo, no verbete de dicionário sobre bioenergética:

> [...] 2. Teoria criada por Alexander Lowen (1920-[2008]) a qual considera a personalidade em termos do corpo e seus processos energéticos (produção de energia através da respiração e do metabolismo e descarga de energia pelo movimento). 3. Método terapêutico baseado nessa teoria e que combina o trabalho com o corpo e com a mente, para ajudar a resolver problemas emocionais.[164]

Vemos, pela definição anterior, que a sinonímia entre a psicologia reichiana e a bioenergética levou a se considerar Lowen, e não Reich, o criador de uma teoria que considera a personalidade em termos do corpo e seus processos energéticos, e de um método que trabalha o corpo e a mente. Por que essa confusão, quando sabemos que o idealizador de uma psicologia e uma psicoterapia de abordagem corporal foi Reich?

A primeira e mais imediata explicação é editorial. Lowen é, ao lado de Reich, o psicoterapeuta corporal com o maior número de livros publicados. Seu primeiro livro[165] foi lançado em 1958 e sua atividade literária foi intensa, contando com mais de uma dezena de livros. Podemos ir além disso. Se considerarmos, das produções literárias de Reich e Lowen, apenas aquelas dedicadas à clínica e à psicoterapia, então o discípulo supera em muito o mestre, quando falamos da quantidade de páginas.

É claro que a quantidade, vista isoladamente, não quer dizer muita coisa. Mas, no caso das psicoterapias corporais, essa quantidade tem um significado razoável. Quando apresentei a orgonoterapia, lamentei a falta de material bibliográfico clínico. Os escritos de Lowen vieram, em primeiro lugar, preencher essa falta. Não a respeito da orgonoterapia especificamente, mas dos trabalhos psicorporais que, à época, eram desenvolvidos por Reich e seus discípulos e, entre eles, Lowen; ou seja, com Lowen o grande público (e não só os pacientes) pôde ter acesso à intimidade das psicoterapias corporais. Nesse sentido, Lowen foi o grande divulgador das psicoterapias corporais. Por isso seu nome e sua técnica são considerados sinônimos de psicologia corporal.

Deixemos claro que Lowen, em momento algum, desejou se aproveitar dessa lacuna ou da fama de Reich. Reconheceu sua gratidão por Reich e pela VCA (foi aluno dele de 1940 a 1952 e paciente de 1942 a 1945),[166] mas já em 1956 fundou (com John C. Pierrakos e William B. Walling) o Instituto de Análises Bioenergéticas,[167] diferenciando-se assim da escola de ergonomia de Reich.

Outro ponto importante na ampla divulgação e aceitação da bioenergética diz respeito à forma como Lowen escreve. Seus livros tratam da clínica, da técnica, dos exercícios. Seus relatos dos atendimentos são ricamente detalhados, o que permite ao leitor acompanhar e aprender o modo como se faz. Se nos lembrarmos mais uma vez de como o campo psicorporal sempre foi carente de publicações neste setor, compreenderemos por que a prática bioenergética tornou-se, por algum tempo, referência de psicoterapia corporal.

Há ainda um outro aspecto da bioenergética que a torna mais facilmente compreensível que a VCA. À diferença de Reich, Lowen realiza uma caracterologia, ou se quisermos, uma tipologia bem definida. Veremos isso a seguir.

Em 1958, Lowen fala em três tipos básicos de caráter neurótico (oral, rígido e masoquista), além de dois tipos psicóticos (esquizoide e esquizofrênico). A respeito destes últimos, ele reconhece no esquizofrênico a estrutura psicótica, e no esquizoide, uma "disposição psicótica".[168] Quanto aos tipos neuróticos, os relaciona a experiências egoicas infantis: "A privação leva à oralidade, a supressão ao masoquismo e a frustração à rigidez".[169]

Em 1975,[170] Lowen apresenta um outro quadro tipológico, ou, se quisermos, a sua segunda tópica. As estruturas caracterológicas básicas são agora a esquizoide, a oral, a psicopática, a masoquista e a rígida. Cada uma delas é detalhadamente apresentada em sua descrição, condição bioenergética, aspectos físicos, correlatos psicológicos e fatores históricos e etiológicos.

Em suma, ao apresentar um quadro tipológico bem definido, aliado a uma técnica de intervenção igualmente precisa, a bioenergética de Lowen só podia ser bem recebida, sobretudo no campo de estudo menos compreensível racional e logicamente: o mundo das paixões e reações humanas.

A última passagem desta breve apresentação da bioenergética diz respeito às suas diferenças com relação à VCA. Antes disso, faço um comentário.

Existe uma crença de que as diferenças entre as escolas psicorporais residem em suas técnicas. De acordo com essa visão, aquilo que diferenciaria a bioenergética da VCA e estas duas da biossíntese e assim por diante seriam as especificidades das massagens, exercícios, manobras, intervenções etc. Considero essa forma de ver as coisas um tanto ingênua e tentarei defender meu ponto de vista.

Um lojista deseja vender determinado produto com exclusividade. Um industrial precisa fabricar um produto que nenhum concorrente seja capaz de imitar. Um liberal quer ter um serviço absolutamente diferenciado e único. Cada psicologia procura apresentar a sua psicoterapia como a mais avançada e abrangente. Estou falando de propaganda e disputa de mercado.

Cada um vende o seu peixe. Durante décadas tentou-se vender a ideia de que aquilo que caracterizava uma psicanálise era deitar-se no divã. Depois se passou à ideia de que a boa psicanálise lacaniana acontecia quando o analista interrompia a sessão no "tempo lógico" de 18 a 20 minutos. Agora querem fazer crer que a verdadeira terapia X usa raquete de tênis, a real terapia Y emprega a lanterna, a pura terapia Z tem tal e tal sequência de exercícios... e assim podemos chegar ao infinito com truques, malabarismos e modismos.

Vejamos um pouco da história dos procedimentos clínicos. Freud "deitou" seus pacientes porque não conseguia pensar tendo um olhar sobre eles. Reich manteve seus pacientes deitados porque sua tradição era psicanalítica. Lowen desenvolveu a "cadeirinha para respirar"[171] porque estabeleceu uma relação entre a respiração e o espreguiçar-se em uma cadeira. Não há mal nenhum em que os pioneiros descubram, ao acaso ou pesquisando, determinados procedimentos técnicos. O problema está em sacralizar esses procedimentos e transformar a sessão de terapia em um ritual metódico, sistemático e ausente de sentido.

Volto a repetir: teoria e técnica devem manter uma relação de coerência e consistência. Mas tanto uma quanto outra devem possuir a capacidade de receber modificações e incorporar contribuições. Caso contrário, tornam-se dogmas, religiões, rituais, superstições.

Voltando às técnicas corporais, é ingênuo pensar que determinado procedimento corporal garanta determinada linha terapêutica. Os procedimentos, as técnicas são disparadores emocionais. Servem para ajudar o paciente a entrar em contato consigo mesmo, com suas emoções, suas dificuldades (resistências).

Cada descoberta, cada nova experiência corporal deveria ser uma contribuição para a terapia corporal como um todo, e não se transformar em uma técnica que elimina as anteriores. O universo corporal começa a ser explorado e não pode ser reduzido e aprisionado em dez ou quinze movimentos.

A diferença entre uma e outra escola está em seu referencial teórico. Está em como esse referencial será utilizado para se interpretar aquilo que é disparado pela atividade. Está no projeto terapêutico que cada escola contém.

No caso da bioenergética, o próprio Lowen sublinha suas diferenças com Reich. Além da caracterologia bioenergética já citada, outra diferença está em que "Reich concentrou-se na aparente supervalorização do papel do sexo nos problemas emocionais. O sexo não é a chave do problema".[172] E, mais adiante,

> Isto tornou-se claro para mim depois de ter perseguido sem sucesso um único objetivo, que era a realização sexual de meus pacientes, à semelhança de Reich. O ego existe para o homem ocidental como uma força poderosa que não pode ser posta de lado ou ignorada. O objetivo terapêutico é integrar o ego ao corpo e à sua busca de prazer e realização sexual.[173]

Por fim,

> o caminho mais eficiente para chegar ao centro das dificuldades sexuais do paciente está em trabalhar através de seus problemas de personalidade, problemas esses que incluem necessariamente os sentimentos de culpa em

> relação ao sexo e às ansiedades. A ênfase dada por Reich à sexualidade, apesar de teoricamente válida, raramente produzia resultados que pudessem ser mantidos sob as condições da vida moderna.[174]

É claro que a bioenergética não se reduz às passagens que acabo de citar. Elas servem apenas para indicar aquilo que penso serem as diferenças importantes entre uma e outra escola de psicologia: as teorias de personalidade, seus aspectos estruturais e funcionais e, consequentemente, seus objetivos terapêuticos.

No caso do qual estamos tratando, vemos Lowen opor-se ao Reich da orgonomia. Seu ponto de partida é o Reich da análise de caráter e do início da VCA. Depois disso, passa a trilhar seu próprio caminho. Não vamos, aqui, entrar na discussão a respeito das teorias de personalidade etc. O objetivo é assinalar que as diferenças estão nos bastidores e não, como às vezes se pensa, na técnica empregada. Para as instituições, talvez seja interessante manter seus pupilos em uma ortodoxia técnica rígida. Mas para os terapeutas e seus pacientes, o mais importante deve ser compreender o sentido e o significado desta e daquela emergência emocional.

BIODINÂMICA

A idealizadora da psicologia biodinâmica é Gerda Boyesen. Apesar do escasso material bibliográfico produzido até hoje, *Entre psique e soma*[175] apresenta de forma clara o desenvolvimento desta escola de psicoterapia corporal.

Boyesen não conheceu Reich pessoalmente. Seu contato com a VCA se deu por intermédio de Ola Raknes, com quem se tratou entre 1947 e 1951.[176] Nesse mesmo período cursou a faculdade de psicologia. Depois disso, cursou fisioterapia e então foi trabalhar e aprender uma nova forma de fazer fisioterapia (método Bülow-Hansen), baseada em massagens e não classicamente em exercícios.[177]

Praticando essa nova fisioterapia, Gerda foi estabelecendo relações entre o relaxamento corporal ocasionado pelas massagens e a irrupção na consciência dos conteúdos do inconsciente. Em suas palavras:

> Assim que a contração muscular relaxa e que cessa a capsulação da energia emocional, então o processo é análogo ao descrito por Freud: assim que diminui o recalque e que tombam as defesas, a neurose ou a psicose aparecem.[178]

É muito interessante o relato que Boyesen faz de todo o seu percurso pessoal e profissional, desde seu primeiro contato com a VCA (via Raknes) até chegar à sua psicologia biodinâmica. Desse relato podemos pinçar alguns elementos importantes para a história das psicoterapias corporais.

A primeira fonte de inspiração da biodinâmica foi, como vimos, a experiência psicorporal de Boyesen em VCA. A segunda fonte veio de sua formação em psicologia, por meio da qual entrou em contato com as teorias psicanalíticas. Na terceira fonte (massagem fisioterapêutica), Boyesen desenvolveu sua técnica original, sintetizando suas experiências na chamada massagem biodinâmica. Nesse percurso, ela nos conta que:

> Pareceu ser necessário um lapso de tempo para que uma dinâmica corporal se desenvolvesse. Essa dinâmica vinha das profundezas do soma. Eu estava muito entusiasmada nessa época. Realmente, eu compreendia esta passagem de Freud onde ele diz: "Há uma fronteira entre o soma e a psique que ninguém ainda explorou e caberá aos que continuarem minha obra realizar esta exploração". Eu pensava que nós trabalhávamos com o soma, provocando pelo tratamento um processo que transformava a psique.[179]

Nesse lapso de tempo, Boyesen se perguntava a respeito do equivalente corporal de uma repressão psíquica e dos destinos corporais das emoções não reprimidas. Para ela,

> a teoria de Aadel Bülow-Hansen sobre o afrouxar prender dos reflexos de sobressalto e a teoria reichiana da couraça muscular eram insuficientes.

> Eu achava então que a couraça muscular era um fenômeno visível, mas que havia ainda muito mais por detrás dela. Sentia-me então em pleno trabalho pioneiro.[180]

Apoiada nos efeitos das massagens em seus pacientes, Boyesen descobre o que está por detrás da couraça muscular: o sistema vegetativo. Ela relata assim sua descoberta:

> O mais fascinante para mim foi verificar que um paciente podia ser curado pela massagem. A cura da neurose podia ser obtida trabalhando-se simplesmente sobre o corpo, sem psicoterapia. Do meu ponto de vista de psicóloga clínica freudiana e reichiana, era realmente espantoso. Eu me perguntava sempre: mas como é possível? A resposta chegou: tratava-se de uma descarga vegetativa. Isso significa que nem é preciso haver uma descarga emocional. Em alguma parte, nas profundezas do corpo, existia um mecanismo que dirigia a neurose, os conflitos emocionais e as emoções que não eram ab-reagidas.[181]

Da forma mais sintética possível, a teoria da psicologia dinâmica fala do sistema vegetativo como ponte de ligação entre psique e soma, e propõe, como psicoterapia dos processos neuróticos, uma técnica de massagem capaz de produzir descargas energéticas vegetativas. Haveria muito o que falar a respeito da teoria e da técnica biodinâmica. Destacarei apenas mais algumas passagens do livro de Boyesen que confluem com nosso propósito de vislumbrar uma história das psicoterapias corporais.

Um primeiro ponto a ser assinalado é o fato de Boyesen ter entrado em contato com a VCA em 1947. Mas essa VCA que ela conheceu era a VCA de Raknes, que por sua vez realizou uma formação nessa técnica com o Reich de 1936-9,[182] ou seja, mesmo que indiretamente, Boyesen experimentou a VCA do fim dos anos 1930, diferente da VCA do início dos anos 1940 experimentada por Lowen. Ela deixa isso claro em duas passagens de seu livro:

> A vegetoterapia que eu seguira com Raknes não comportava de maneira alguma a massagem, tratava-se de psicoterapia analítica com exercícios corporais. Em suma, pouco trabalho corporal. Era próxima à psicanálise como espírito.[183]

> [...] E nenhuma massagem havia-se interposto em minha exploração com Ola Raknes, era muito mais a prática de respiração e investigação psicológica.[184]

Espero não precisar repetir a todo momento que não se está colocando em xeque a originalidade e a genialidade dos pioneiros das escolas psicorporais aqui tratadas. O principal, penso, é perceber pontos de ligação entre esses pioneiros e essas escolas com aquele que é considerado "o pai de todas as terapias atuais que trabalham com a vida emocional do corpo".[185]

Voltemos às escolas. Boyesen considera a VCA de 1936-9 muito analítica e pouco corporal[186]. Sua insatisfação a leva ao desenvolvimento de uma terapia praticamente corporal. Lowen critica a VCA pós-1945 (então orgonoterapia) por ser quase exclusivamente corporal e procura desenvolver um trabalho a partir de suas experiências com a VCA de 1942-5 (corporal-analítica). Vemos então diferentes VCAs — ou, se quisermos, diferentes momentos do desenvolvimento da VCA — servindo de origem e inspiração para diferentes terapias corporais.

Também é importante deixar assinaladas as diferenças das técnicas quanto às abordagens corporais. No primeiro momento da VCA, o trabalho corporal é feito incidindo sobre a respiração. Procura-se aí um relaxamento e uma entrega a partir da excitação respiratória. Com Lowen, a respiração segue sendo importante. Mas serão acrescentados outros exercícios de estresse muscular para interferir no funcionamento corporal. Já Boyesen procura uma ação corporal pela massagem relaxante. Em suas palavras, com a massagem "seduzíamos cada resistência: a corporal, depois a psicológica".[187] E na orgonoterapia, a manipulação muscular e visceral profunda vai ser a tônica da abordagem corporal.

Muitas outras técnicas de intervenção corporal poderiam ser listadas e comentadas. E muitas outras podem ser desenvolvidas. Enfim, o que parece ser o denominador comum de todas elas é a clínica original de Reich de um trabalho (suave, dolorido, com toque, sem toque etc.) sobre a couraça muscular do caráter do ego, visando, com isso, atingir o funcionamento do sistema nervoso vegetativo (sede somática da vida emocional). Voltaremos a falar sobre isso adiante.

Um último ponto que quero abordar diz respeito ao uso das técnicas. Tomemos como exemplo a bioenergética de Lowen e a biodinâmica de Boyesen. Mediante o que foi apresentado até aqui, concebemos uma bioenergética "estressante" e uma biodinâmica "relaxante". Qual delas seria a melhor técnica? Ainda a título de exemplo, tomemos o depoimento de Boyesen:

> Eu sou completamente contra a dor em psicoterapia e bioenergia. Confesso que não consigo compreender por que Lowen dá valor à dor em sua análise bioenergética. Acho isso muito falso. A doutora Eva Reich está bastante descontente com todos os trabalhos neorreichianos que dão valor terapêutico à dor, ao sofrimento. Ela sempre repete: "Meu pai jamais teria querido que alguém sofresse para estar bem depois".[188]

Se ficarmos só com esta fala de Boyesen, podemos pensar que ela considera a bioenergética uma sessão de tortura, algo deplorável. Sigamos um pouco mais. Ainda sobre a bioenergética, ela diz:

> Em certo momento, em Londres, comecei a integrar aos meus próprios métodos as técnicas de grupo e as técnicas de análise bioenergética de Alexander Lowen [...]. Interessei-me pelos exercícios de expressão das emoções, muito ricos em possibilidades: bater os punhos, sapatear etc.[189]

E mais adiante:

> Como já disse anteriormente, utilizamos o enraizamento [*grounding*] de Lowen de maneira biodinâmica, o que quer dizer que nos servimos de dois

> exercícios de estresse de modo a provocar um estiramento dos reflexos de sobressalto, estruturados no organismo.[190]

Em outras passagens, Boyesen ainda relata como incorporou técnicas de imaginação ativa à biodinâmica, além do uso da palavra[191]. Bem, por esse exemplo estou querendo mostrar que as técnicas, as escolas, as linhas, embora diferentes e originais em vários pontos, não são, em absoluto, excludentes entre si. Elementos e descobertas de uma podem ser assimilados por outra.

Cada técnica, cada abordagem apresenta um determinado alcance e uma determinada limitação. Cabe ao profissional, e não à técnica X ou Y, aprimorar sua sensibilidade para utilizar o procedimento mais adequado à situação dada.

BIOSSÍNTESE

Por último, mas não menos importante, vejamos a biossíntese de David Boadella.

Escolhi apresentar a biossíntese neste momento porque uma característica desta escola (e de seu autor) se insere muito bem dentro do tema que estamos tratando: as interações das diferentes abordagens corporais.

Durante toda a apresentação e descrição da biossíntese, Boadella explicita as influências recebidas da psicanálise (Freud e também Otto Rank), de Reich e outros psicorporais (Boyesen, Lowen, Pierrakos, Baker, Raknes, Keleman), da antipsiquiatria (R. D. Laing), das terapias corporais (R. Laban, M. Feldenkrais, F. M. Alexander) e da embriologia (F. Mott, F. Lake e O. Hartmann).

A novidade teórica apresentada pela biossíntese é a introdução da embriologia nos estudos sobre a psicologia somática. Boadella resume a biossíntese nos seguintes termos:

> O conceito central da biossíntese é que existem três correntes energéticas fundamentais ou "fluxos vitais" fluindo no corpo e ligadas às camadas germinativas celulares (ectoderma, endoderma e mesoderma) do óvulo

> fecundado, a partir do qual se formam os diversos sistemas orgânicos. Essas correntes se expressam num fluxo de percepções, pensamentos e imagens que percorre o sistema neurossensorial; e num fluxo de vida emocional que está localizado no centro do corpo e flui através dos órgãos do tronco. Um estresse antes do nascimento, durante a infância ou no decorrer da vida quebra a integração dessas três correntes.[192]

Desta leitura bioenergética da embriologia, Boadella propõe um projeto terapêutico. Para ele,

> na biossíntese, a reintegração terapêutica trabalha com o desbloqueio da respiração e dos centros da emoção (*centering*); com a retificação dos músculos e a integração postural (*grounding*); e com a vinculação e a organização da experiência através do contato visual e comunicação verbal (*facing*).[193]

Na descrição do trabalho corporal da biossíntese, vemos Boadella, ao falar dos exercícios de *centering*, utilizando a respiração da VCA.[194] Os exercícios de *grounding* fazem referência aos trabalhos de Lowen e Keleman.[195] E, nas situações de *facing*, retoma a origens do trabalho de análise do caráter.[196]

Sublinho, destaco e grifo que a biossíntese não é um mero trabalho de recorte e colagem de outras psicologias e terapias corporais. Há muito de original na teoria e na prática da biossíntese, o que pode ser atestado na leitura do livro de Boadella.

O que a biossíntese nos traz, além de suas contribuições originais, é a visão de que teorias e técnicas psicorporais podem convergir, somar e ampliar assim os seus alcances. Para Boadella, "a palavra bioenergética descreve todos os processos vitais do corpo".[197] "Chamar essas terapias de bioenergética significa que estamos lidando com fortes reações emocionais".[198] "Portanto, na terapia bioenergética, as pessoas são ajudadas a vivenciar seus sentimentos ocultos de raiva, tristeza, ansiedade e desejo, e a expressá-los da maneira mais completa possível durante as sessões".[199]

Partindo dessas citações de Boadella, podemos abrir mão de apresentar outras escolas, linhas e técnicas psicorporais e passar ao(s) ponto(s) de convergência de todas elas.

RETORNO A REICH

No artigo "Psicoterapia somática: suas raízes e tradições",[200] Boadella realiza um extenso trabalho de levantamento das diferentes terapias somáticas e as apresenta relacionando-as às suas principais fontes de inspiração. Entre as terapias somáticas com algum referencial reichiano, além das aqui citadas (VCA, orgonoterapia, bioenergética, biodinâmina e biossíntese), Boadella assinala ainda a gestalt, *focusing*, Hakomi, Zist, vegetoterapia existencial, psicoterapia organísmica, psicoterapia corporal funcional, terapia da corrente da energia, Radix, integração postural, terapia biossistêmica, psicoterapia corporal integrativa, *core energetics*, terapia da energia da vida, análise psicorgônica, psicorgástica, educação somática e *bodynamic*.

Algumas dessas abordagens são mais fortemente enraizadas no solo reichiano. Outras têm apenas um longínquo parentesco com as ideias de Reich. Outras ainda sequer têm neste autor qualquer fonte de inspiração. Todas, porém, partilham da ideia de uma psicoterapia somática. Deixemos de lado o aspecto da filiação "cartorial" (neorreichiano, pós-reichiano etc.) e pensemos na ideia de psicoterapia somática. Por que, mesmo a partir deste novo aspecto, Reich ainda pode ser considerado, segundo Boadella, "o pai de todas as terapias atuais que trabalham com a vida emocional"? (cf. citação 185). A meu ver, é justamente e sobretudo a partir desse aspecto que Reich deve ocupar este lugar de pai das psicoterapias somáticas. Não como figura patronal, mas como referência inicial.

Tomemos a psicanálise como exemplo. Freud é o pai da psicanálise. Antes dele, outros autores já haviam registrado algumas ideias sobre o inconsciente, sobre o id, sobre a sexualidade. Freud, de modo genial, tomou essas pistas iniciais, descobriu uma série enorme de eventos ligados a elas e sistematizou tudo isso em teorias psicanalíticas. Essas teorias são referências para qualquer pesquisador das psicologias ditas profundas. Hoje, falar em repressão, superego, libido, desejo etc. significa, mesmo em sentido laico, evocar a psicanálise. Tomemos também a psicologia analítica. Jung aprofundou suas pesquisas e estudos na direção de um inconsciente coletivo. Sua teoria da personalidade engloba elementos chamados persona, sombra, arquétipos etc. Esses nomes são como marcas registradas da psicologia analítica.

Isso tudo não quer dizer que não se possa ir além de Freud ou de Jung. Quer dizer que o termo complexo de Édipo significa, por estar consagrado pela psicanálise, um determinado complexo parental, e que arquétipo simboliza um núcleo energético do inconsciente coletivo, na conceituação feita por Jung. Uma pessoa pode mudar o nome da fruta morango pelo nome abacate. Mas, ao pedir o seu abacate, ela será agraciada com pequenas frutinhas vermelhas e não com uma verde.

Imaginemos agora um sujeito que, no ano 2000, se percebe comandado por poderosas forças interiores não conscientes. Alertado da existência de teorias psicanalíticas a esse respeito, resolve ignorá-las e passa a realizar um percurso, digamos, de autoanálise. Passados 23 anos, esse sujeito dá a saber ao mundo que a personalidade humana é constituída por três instâncias, denominadas *troço*, *meio e supermeio*. Todos concordamos que esse sujeito é genial. Comparável mesmo a um Freud! Agora, o que podemos nos perguntar é se é preciso reinventar a roda todos os dias.

Voltemos a Reich. Bioenergia, orgasmo, caráter, couraça, unidade funcional são alguns termos da nomenclatura reichiana. Alguns já existiam antes de Reich, mas foram tão utilizados e definidos pelo autor que passaram a fazer parte da psicologia reichiana. Sobre a paternidade do conceito de caráter, por exemplo, sabemos que ela está em Freud, Abraham e Jones. Também podemos detectar em Freud, Ferenczi e Groddeck elementos para uma psicologia psicossomática com o consequente desenvolvimento de uma psicoterapia somática.

Isso, porém, não esvazia a psicologia reichiana. Pelo contrário, revela que Reich tomou alguns elementos de seus antecessores, aprofundou-se em estudos e pesquisas sobre a relação soma-psique e, de forma pioneira, realizou um trabalho de psicoterapia com abordagem corporal. Neste aspecto, sim, Reich é o pai da psicoterapia somática.

Com a VCA, abriu-se uma nova perspectiva na psicoterapia, a de uma vivência integrada da unidade funcional soma-psique. A partir da VCA (como experiência de psicoterapia corporal) surgiram dezenas e dezenas de técnicas corporais. A VCA é o nome da psicoterapia corporal iniciada e desenvolvida por Reich. Mas ela é também (e sobretudo para nós, hoje) um princípio, uma ideia, uma fonte de inspiração.

Nem a economia sexual nem a VCA esgotam o assunto corpo-mente. Elas descobrem e tateiam um território novo. Um terreno cheio de possibilidades. Retornar a Reich não significa voltar a rezar pela cartilha do mestre e, com isso, desprezar as contribuições e avanços de outros psicoterapeutas corporais. Retornar a Reich significa compreender alguns fundamentos da psicologia e da psicoterapia corporal.

Uma psicoterapia somática está, de alguma forma, mobilizando o somático para atingir o psíquico. Ao operar sobre o somático, estará interferindo na autorregulação, no tônus muscular, na excitação, na respiração etc., e com isso provocando medos, ansiedades, desejos, fantasias. Os escritos de Reich podem servir de referência inicial para se pensar e compreender estas e outras questões da clínica psicorporal e das relações soma-psique. Como já disse antes, não é preciso inventar a roda, ou descobrir a pólvora, novamente, a cada dia.

Um último aspecto que eu gostaria de abordar neste item sobre um retorno a Reich diz respeito especificamente às correntes e terapeutas que se consideram fortemente vinculados ao pensamento reichiano. Este aspecto está mais relacionado à psicologia reichiana em seus pressupostos teóricos e ideológicos. É claro que essas proposições interferem e se expressam na prática clínica. Fiquemos, porém, com eles, a saber: sexualidade, desenvolvimento psicossexual, genitalidade, caráter, função do orgasmo.

Reich postulou a economia sexual em função de seus estudos e pesquisas sobre a sexualidade. Segundo o seu pensamento:

> o problema da sexualidade, por sua própria natureza, se insinua em vários ramos da investigação científica. Seu fenômeno central, o orgasmo, está situado no cruzamento de problemas vindos dos domínios da psicologia, da fisiologia, da biologia e da sociologia.[201]

Vejamos essa afirmação em detalhe, lembrando (conforme vimos no item "Psicanálise e economia sexual") as definições reichianas de sexualidade e orgasmo. Reich está afirmando que a incapacidade orgástica (seja esta uma incapacidade no sentido estritamente genital, seja uma incapacidade de entrega no trabalho, em um concerto musical, no bate-papo com amigos etc.) é resultante de interferências psicológicas, biofísiológicas e sociológicas.

Essa visão interdisciplinar sobre a sexualidade, ao mesmo tempo que prenuncia os atuais pensamentos sistêmicos, holísticos e transdisciplinares, cria um problema: o economista sexual ou orgonomista não pode ser um especialista. Para compreender o fenômeno da sexualidade, deve saber navegar nos oceanos e rios da psicologia, da biofisiologia e da sociologia.

Pessoas que conviveram com Reich confirmam seus dotes intelectuais. Seus escritos atestam sua boa formação em medicina, em psicologia (psicanálise) e em sociologia (marxismo). É possível questionarmos seus referenciais (psicanálise e marxismo) como sendo datados e ultrapassados. Mas não podemos negar a capacidade intelectual de Reich para articular diferentes ramos de conhecimento.

E nós, mortais, precisamos ter a mesma capacidade intelectual de Reich, Freud, Jung, Einstein, Picasso...? A resposta está em outro lugar. Esses senhores, claro, desenvolveram métodos e técnicas. Mas, sobretudo, criaram novas formas de sentir, pensar, agir, conceber, interpretar. Em Reich, isso se chama *pensamento funcional*. É o exercício dessa forma de pensar que permite a articulação entre as diferentes áreas de conhecimento.

Mesmo com o pensamento funcional, a tarefa de articular saberes de diferentes ramos do conhecimento não é fácil. Cada campo de estudos (psicologia, biologia, fisiologia, neurologia, sociologia etc.) cresceu muito dos tempos de Reich aos dias de hoje. O aprofundamento das pesquisas em neurologia, por exemplo, aliado às modernas tecnologias, complexaram sobremaneira os estudos e as relações entre o neurológico e o psíquico. Voltar a articular o biológico com o psicológico e o sociológico, insisto, é tarefa complexa.

Luis Gibier[202] realiza um interessante trabalho de reflexão, análise e classificação das diferentes concepções da clínica psicorporal. Embora não utilize a mesma análise e classificação desse autor, considero esse trabalho como inspirador do que se segue.

Depois de Reich, a articulação entre os campos biológico (biologia, fisiologia, neurologia etc.), sociológico (sociologia, política, antropologia etc.) e psicológico (processos psíquicos de forma geral) passou a ser investigada de forma mais profunda. Cada um desses campos cresceu enormemente de 1950 para cá, seja na quantidade de material coletado, seja na diversidade de teorias produzidas a partir desse material. Esse aumento de informações e diversidades de teorias pode explicar, ao menos em parte, o surgimento de três grandes linhas de estudos e pesquisas em psicologia reichiana, classificadas assim pela *ênfase* dada a um ou outro dos três campos de conhecimento em questão. Insisto em que estou falando de *linhas de pesquisa e estudos*. Não estou falando de psicoterapeutas nem de psicoterapias. Um reichiano pode aprofundar seus estudos em um dos campos e, em seu trabalho clínico, levar os três campos em igual consideração.

A primeira linha reichiana coloca a ênfase de seus estudos e pesquisas no campo biológico. Esta linha procura checar o saber reichiano, submetendo-o às novas descobertas das ciências biológicas. Além disso, ela tem uma importância fundamental na clínica corporal: baliza os alcances e possibilidades do trabalho corporal e, sobretudo, sinaliza sobre os limites e riscos de um trabalho corporal excessivo. A esse respeito, vejam-se as sérias restrições de Boadella sobre o trabalho de hiperventilação.[203]

A segunda linha trata dos aspectos sociológicos. Esta linha de pesquisa apresenta uma particularidade, ou curiosidade, que merece ser destacada. Enquanto, de um lado, as pesquisas, estudos e experimentos em psicologia e corpo não paravam de crescer, de outro, os estudos relacionados à psicologia e política se esvaziavam. Entre os anos 1950 e 1970, vimos surgir as principais escolas reichianas, orientadas por excelentes psicoterapeutas clínicos (tais como Lowen, Boadella, Baker, Boyesen, Keleman, Pierrakos, Navarro...). Entretanto, nesse mesmo período, não encontramos estudos ou trabalhos que de alguma forma aludam a uma Sexpol, a uma *Revolução sexual,* a uma *Psicologia de massas.* Na década de 1970, período de grandes transformações sociais, culturais e políticas, o "Reich político" foi resgatado e apresentado como pensador alternativo à política mundial vigente.[204] Nos anos 1980, notamos um novo esvaziamento do pensamento político entre os reichianos. Na década de 1990, começam a surgir novos estudos dedicados à articulação entre corpo e política, corpo e sociedade. Nesses estudos, vemos seus autores interessados em fazer Reich dialogar com outros pensadores (Foucault, Deleuze, Guattari etc.) além de Marx e Engels. E desses estudos vemos surgir propostas de trabalhos reichianos cuja perspectiva é ultrapassar o chamado *claustro bipessoal.*[205]

A terceira linha de pesquisas e estudos reichianos enfoca os aspectos psicológicos. Até os anos 1970, Freud era a principal e quase exclusiva referência reichiana em psicologia. De lá para cá, os reichianos passaram a "conversar" também com Groddeck, Ferenczi, Rank, Klein, Winnicott, entre outros.

Poderíamos pensar, então, que o pensamento reichiano sofreu uma fragmentação, uma especialização, e se dividiu em três ou mais linhas de estudos. Algo como se os pós-reichianos tivessem voltado a uma era pré-reichiana. Isso pode ser verdade no caso de reichianos que se recusam a perceber as interferências das transformações sociais em seu próprio caráter e no de seus pacientes, de reichianos que realizam apenas trabalhos corporais sem se importar com a psicodinâmica de seus pacientes (a transferência, por exemplo), ou de reichianos que temem uma proximidade maior com seus pacientes. Nesses casos, há que se perguntar se são ainda, ou um dia foram, de fato reichianos.

Ser reichiano não é pertencer a esta ou àquela escola reichiana. Não é ter o corpo bronzeado e livre de repressões. Ser reichiano é considerar vivamente a unidade funcional soma-psique, atravessada e constantemente afetada pelas forças biológicas, psicológicas e sociais. É considerar essas forças agindo igualmente no Amor, no Trabalho e no Conhecimento.

2. Transferência

CONCEITO DE TRANSFERÊNCIA

O *Vocabulário da psicanálise* define, nos seguintes termos, o conceito de transferência:

> Designa, em psicanálise, o processo pelo qual os desejos inconscientes se atualizam sobre determinados objetos no quadro de um certo tipo de relação estabelecida com eles e, eminentemente, no quadro da relação analítica. Trata-se aqui de uma repetição de protótipos infantis vivida com uma sensação de atualidade acentuada.
>
> A maior parte das vezes é à transferência no tratamento que os psicanalistas chamam transferência, sem qualquer outro qualificativo.
>
> A transferência é classicamente reconhecida como o terreno em que se joga a problemática de um tratamento psicanalítico, pois são a sua instalação, as suas modalidades, a sua interpretação e a sua resolução que caracterizam este.[206]

Em primeiro lugar, vemos a transferência sendo definida como um processo. É, portanto, o seu aspecto dinâmico que está sendo evidenciado. Podemos falar em transferência, em situação transferencial ou em dinâmica de transferência.

Em essência, a transferência designa um processo de atualização de desejos inconscientes, em larga medida provindos da infância. Esses desejos inconscientes não estão e não surgem de forma isolada. Pertencem a um quadro de relação infantil, ou seja, fazem parte de um complexo de relação infantil. Na transferência, o transferido não se restringe a um ou outro elemento, a este ou aquele desejo, mas diz respeito a toda uma modalidade de relação. Na situação psicoterapêutica, a transferência não se reduz às demandas pontuais, devendo ser compreendida, por meio dessas demandas, como uma modalidade de relação proposta pelo sujeito em análise. Por isso, ao falarmos em transferência, devemos subentender sempre a situação transferencial, a dinâmica ou complexo transferenciais.

Outro aspecto da transferência, ressaltado na definição apresentada no vocabulário, é a sensação de atualidade acentuada. Se pensarmos na projeção, ou mesmo na alucinação, perceberemos que essa sensação de atualidade não é uma característica exclusiva da transferência. Entretanto, diferentemente destes dois outros fenômenos psíquicos, a transferência, justamente por se tratar de uma proposta de um modo de relação, dificilmente deixa de encontrar algum tipo de ressonância na situação atual. Vejamos isso em mais detalhe.

No caso da alucinação (excetuados alguns casos de êxtase místico coletivo, tão bem parodiados na fábula *A roupa nova do rei*), será muito raro encontrarmos alguém que confirme a presença de um jacaré embaixo da carpa, "visto" por outra pessoa. A transferência é mais sutil e mais ardilosa. Ao propor uma modalidade de relação, ela "seduz" figuras (inconscientes) do complexo transferencial do interlocutor em questão. Ela enreda e se enreda em um outro que também deseja (inconscientemente) enredar e se enredar em seu outro.

Longe de ser uma criação exclusiva da psicanálise, a dinâmica transferencial permeia as relações humanas, sejam estas relações entre terapeuta e paciente, fornecedor e cliente, marido e mulher, professor e aluno etc. A psicanálise não criou nem inventou a transferência,[207] assim como não inventou o inconsciente ou a sexualidade. Ela simplesmente detectou (no caso da transferência) a presença e a interferência de elementos estranhos à relação psicoterapêutica, e passou a investigá-los em suas histórias e em suas relações com o atual.

A consequência prática dessas investigações foi a de perceber o quanto a "cura psicanalítica"[208] dependia da "cura da transferência". A partir de então, o tratamento psicanalítico passou a incidir, em larga medida, sobre a análise da transferência. As diferentes escolas de psicanálise têm diversos enfoques a respeito da transferência e, portanto, várias formas de lidar com ela.[209] Entretanto, encontramos em todas elas o reconhecimento de que a transferência (e sua análise e elaboração) é o pivô-mestre do tratamento psicanalítico ou, como vimos na definição do vocabulário, é o terreno em que se joga a problemática do tratamento.

Temos aí, então, o grande diferencial teórico-prático entre a psicanálise e outras psicoterapias. Enquanto, para as últimas, a transferência pode ser considerada ou vista como um fenômeno entre outros, para a primeira, a transferência é o fenômeno em questão. Vemos por vezes uma quase sinonímia entre psicanálise e análise da transferência. Quase como se o tratamento psicanalítico se reduzisse à análise de transferência, e pudéssemos resumi-lo em uma máxima: *em psicanálise nada se cria, nada se perde, tudo se transfere!*

Em todo caso, a importância de se dar tanta ênfase à transferência no processo analítico segue, a meu ver, a lógica e a coerência do pensamento psicanalítico. Pois se, para a teoria psicanalítica, tornar consciente o inconsciente é parte integrante do processo de cura e se os conteúdos do inconsciente são, em grande medida, representações de desejos infantis reprimidos, então o método terapêutico psicanalítico deverá consistir em uma *regressão*[210] consciente a esses conteúdos. E por que a psicanálise vai eleger a análise da transferência para realizar essa regressão? A resposta, mais uma vez, está na lógica e na coerência interna do pensamento psicanalítico.

Regredir, fazer virem à consciência os conteúdos inconscientes (complexos infantis reprimidos), é a tarefa psicanalítica enquanto condição *sine qua non* para o êxito do tratamento. Lembremos agora o postulado teórico psicanalítico segundo o qual os conteúdos do inconsciente estão dinamicamente reprimidos. Recordemos ainda que a teoria psicanalítica da repressão assinala diferentes destinos para a representação reprimida e para sua carga afetiva. Enquanto a representação puder ser reprimida com sucesso, o afeto correspondente (pulsão) seguirá em busca de algum tipo de realização (descarga).[211] Uma das possibilidades para a realização deste afeto está na transferência. Um pouco adiante abordarei os aspectos econômicos da transferência. Por ora, fiquemos com a ideia de que ela se apresenta como uma excelente via (aliás, de mão dupla; não uma alameda, mas uma avenida) de realização afetiva.

Façamos convergir as ideias de transferência (como via de atuação afetiva) e da tarefa psicanalítica (de tornar conscientes os conteúdos inconscientes) sobre a relação analítica terapeuta-paciente. Se estivermos de acordo que essa relação mobiliza grandes quantidades afetivas, como em geral as relações de ajuda e aprendizado costumam mobilizar, e que essa mobilização afetiva intensifica antigos complexos de desejos reprimidos, os quais irão em busca de realização na situação atual (caracterizando, com isso, a transferência), só resta à psicanálise focar e analisar a transferência como a forma mais direta e imediata de cumprir a sua tarefa: tornar consciente o inconsciente.

Nos termos acima, a análise da transferência já é análise. Não é toda a análise, mas é análise porque identifica e busca o sentido inconsciente da ação e da emoção atual. Em outras palavras, da análise da transferência se chega aos conteúdos (transferidos) do inconsciente.

Se tomarmos agora essa questão em seu sentido inverso, encontraremos um complemento para a importância da análise da transferência, tanto no processo psicanalítico quanto nas psicoterapias ditas profundas. Seria possível uma análise profunda dos conteúdos do inconsciente sem uma análise prévia da transferência?

De acordo com o exposto até aqui, consideramos a transferência como uma atuação, como uma tentativa de atualização e realização de complexos (inconscientes) infantis. Reconhecemos também o quanto uma relação psicoterapêutica intensifica as cargas afetivas, mobilizando e favorecendo a transferência desses complexos para a relação atual. Da teoria da repressão, vimos que ela consegue impedir a chegada de representação à consciência, mas não anula seu afeto correspondente. A atuação transferencial é, nesse sentido, uma tentativa de realização sem recordação. É uma repetição sem elaboração.[212] Se a atuação transferencial for realizada sem que sua motivação inconsciente tenha sido afetivamente recordada e elaborada, toda a análise de conteúdo do inconsciente será "filtrada" afetivamente. Nesse quadro, não poderemos saber se uma interpretação é aceita por reconhecimento ou por medo, submissão, evitação de angústia etc., nem se é rechaçada por não correspondência ou por raiva, desprezo, inveja etc. Portanto, uma análise que se proponha a lidar com os conteúdos do inconsciente deve, em primeiro lugar, cuidar da análise da transferência, como forma de acesso a esses conteúdos e também como forma de evitar uma psicoterapia apenas sugestiva e sedutora.

Há ainda um esclarecimento a ser feito sobre a utilização do termo transferência. Poucas páginas atrás, ressaltei o aspecto sedutor da transferência, por propor um jogo no qual o outro envolvido também pode entrar com a "sua" transferência. Em seguida, caracterizei a transferência como uma avenida de mão dupla. Nesse sentido, não seria mais correto falarmos de situação transferencial, dinâmica transferencial ou mesmo campo transferencial, em vez de transferência?

Quando estamos trabalhando, a noção de campo transferencial é fundamental. Na prática clínica, as transferências e contratransferências (tanto do paciente quanto do terapeuta) são constantemente ativadas na e pela relação terapêutica. O decisivo (e distintivo da escuta psicanalítica) é que o terapeuta esteja atento a essas manifestações e incida o trabalho interpretativo sobre elas. Também no trabalho de supervisão clínica, o estudo deve ser realizado primeiramente sobre as transferências e contratransferências do terapeuta. A meu ver, aquilo que impede o terapeuta de compreender e interpretar a transferência do paciente são os seus "pontos cegos" transferenciais e contratransferenciais. Portanto, em relação à prática clínica, o termo campo transferencial é o que melhor se aplica à situação.

Nos estudos teóricos, podemos analisar esse campo transferencial, isto é, podemos decompô-lo e estudar separadamente cada um de seus elementos. Contanto que não se perca a visão de conjunto, podemos focar a atenção:

- Na transferência do paciente. Atuação promovida por elementos do complexo do paciente, independentemente do terapeuta.
- Na transferência do terapeuta. Atuação promovida por elementos do complexo do terapeuta, independentemente do paciente.
- Na contratransferência do paciente. Reação provocada no paciente, promovida por uma interpretação, ação ou atuação do terapeuta.
- Na contratransferência do terapeuta. Reação provocada no terapeuta, promovida por uma interpretação, ação ou atuação do paciente.

Consciente de que essas categorias transferenciais são divisões didáticas, solicito ao leitor que considere este trabalho fazendo parte da primeira categoria: a transferência do paciente. Por esse motivo, utilizei o termo transferência no título do trabalho e seguirei, na apresentação e considerações dos casos clínicos, focando apenas este aspecto transferencial. Um edifício inacabado deve ser completado, e não demolido.

Um último comentário a ser feito também diz respeito ao título deste trabalho e aos conceitos envolvidos nele. Durante todo o percurso, apresentei a minha compreensão do significado da

VCA. Procurei mostrar que este termo foi originalmente utilizado por Reich para designar seu novo método (e técnicas) psicoterapêutico, e que pode significar, ao mesmo tempo, uma escola com uma técnica específica de psicoterapia corporal, como também pode abranger diferentes técnicas corporais.

Agora, de posse do conceito de transferência e da importância dada à sua análise e elaboração no processo analítico, podemos entender a VCA como uma psicoterapia que utiliza técnicas corporais, visando, com isso, agilizar o processo de análise de caráter, no qual a análise de transferência e de resistências é o tema central. Foi esta a origem e foi este o sentido dado por Reich à VCA. E é nesse sentido que este trabalho e seu título devem ser compreendidos.

ASPECTOS DA HISTÓRIA DO CONCEITO DE TRANSFERÊNCIA

Se as descobertas da sexualidade infantil e do inconsciente inauguraram uma nova psicologia (a psicanálise), a descoberta da transferência[213] inaugurou uma nova prática psicoterapêutica.

É verdade que a segunda parte da afirmação acima não é correta do ponto de vista puramente cronológico. Ao descobrir a transferência (então designada "falsa conexão"), Freud já havia abandonado a hipnose e começava a tratar seus pacientes a partir da técnica de associação livre. Todavia, vendo hoje o papel e a importância da transferência no tratamento psicanalítico, podemos colocá-la nesse lugar de fundadora da prática psicanalítica. Se com ela não se inaugurou a técnica, fundou-se um novo tipo de escuta psicanalítica.

A transferência é tão importante na clínica psicanalítica quanto o seu conceito na teoria e na história da psicanálise. Basta citar André Green como representante do pensamento psicanalítico atual a respeito da importância do conceito de transferência na teoria. A transferência, ele diz, "não é mais um dos conceitos da psicanálise a ser pensado como os outros; ela é a condição a partir da qual os outros podem ser pensados".[214]

O conceito de transferência se tornou tão relevante ao longo dos anos que hoje é possível estudar a história da psicanálise pelo estudo do desenvolvimento desse conceito. Como existem centenas de trabalhos dedicados ao assunto, não caberia aqui uma apresentação tão longa. Assim sendo, limito-me a destacar alguns dos seus momentos, assinalados por especialistas.

O primeiro ato dessa história ocorre em 1895. Esse é o ano em que Freud relata a descoberta da transferência. Depois de ter abandonado o método hipnocatártico e iniciado o método de cura pela fala, Freud percebeu que

> em determinados momentos a paciente não podia continuar relatando o que vinha à sua mente. Acontecia uma interrupção no fluxo associativo [...]. Posteriormente, estudando o fenômeno da interrupção do fluxo associativo, nesse momento de impasse, depois de tê-lo vencido muitas vezes por meio da sugestão e da imposição das mãos na testa, Freud foi compreendendo que o que acontecia nesse instante é que havia aparecido na consciência do paciente alguma associação, ideia, afeto ou impulso que tinha a ver com a pessoa do médico, do operador — de forma consciente ou não pelo paciente — inconveniente, inadequado a uma situação de relação profissional como a que acontecia [...]. Aprofundando mais no fenômeno, Freud chega à conclusão de que nesse momento de impasse, a incapacidade de continuar associando deve-se sempre a uma revivescência de alguma situação anterior em que a pessoa viveu um tipo de afeto, de impulso, de emoção similar mas com outra pessoa e em outra situação especialmente intensa e geralmente relacionada com a sexualidade.[215]

Ainda nesse primeiro ato, "a transferência consiste em uma modalidade do deslocamento de afetos entre uma representação e outra, e num obstáculo ao trabalho de rememoração, isto é, em uma modalidade de resistência".[216] A esse deslocamento de afetos entre uma representação e outra, Freud chama inicialmente de falsa conexão e, depois, de transferência.

Os aspectos mais importantes da transferência, assinalados por Freud nesse momento, são: sua atuação como deslocamento de afetos e sua função defensiva como obstáculo ao trabalho analítico de rememoração. Além disso, como fazem notar os estudiosos, "a transferência começa sua carreira nos textos de Freud como uma noção 'periférica', para utilizar uma expressão de Joel Birman".[217]

> O que torna a noção"periférica", neste contexto, é a sua não especificidade; ela denota um sintoma entre outros [...]. Notemos que, nesta época, Freud acredita que se trata de um fenômeno localizado e pontual: fala sempre de "uma" transferência, ou em "as" transferências, como fala em "um" sonho ou em "os" sintomas.[218]

No entreato (de 1895 a 1905),

> Freud irá se aperceber de que a transferência é uma produção regular de formações do pensamento, em sua maior parte inconscientes, em que a neurose substitui uma pessoa anterior pela figura do analista. Trata-se, portanto, de "reimpressões", ou de "edições revistas", de protótipos infantis que enlaçam o analista no imaginário do paciente. Nesta nova concepção, a transferência será entendida como uma manifestação incontornável da neurose, que é utilizada pelo paciente para produzir todos os empecilhos ao trabalho de tornar o material psíquico inconsciente acessível ao tratamento.[219]

Freud percebe, então, que a transferência não é um acontecimento isolado e presente, apenas, em um ou outro caso clínico. Desenvolve e apura aquilo que designei como escuta psicanalítica e passa a reconhecer, em todos os casos, a manifestação da transferência. Essa percepção da onipresença da transferência na clínica (nos) permite passar para o segundo ato.

Estamos agora em 1905 e vemos Freud se penitenciando pelo "erro técnico transferencial", cometido no famoso caso Dora. Seu erro custou um caso, mas sua penitência nos trouxe um ganho incomensurável. É esse o momento em que Freud percebe a transferência como a chave para o sucesso do tratamento.

Em suas palavras: "A transferência, destinada a ser o máximo obstáculo para a psicanálise, se converte em sua auxiliar mais poderosa, quando se consegue, em cada caso, detectá-la e traduzi-la para o paciente".[220]

Novo entreato, agora de 1905 a 1911. Nesse período, não encontramos nos escritos de Freud nenhum trabalho no qual a transferência tenha sido tratada de forma específica. A hipótese de que Freud tenha se afastado do assunto não pode ser sustentada, pelo que vemos a seguir. Muito mais plausível é considerarmos esse silêncio como um período de elaboração dos desdobramentos clínicos e teóricos da descoberta da transferência como elemento-chave da psicoterapia psicanalítica. O fim desse período de incubação e o início (para nós) do terceiro ato é balizado pela publicação do artigo sobre "O uso da interpretação dos sonhos em psicanálise", de 1911.

Reunidos sob o título de *Artigos sobre técnica*,[221] esses escritos constituem o que estou designando por terceiro ato. A transferência está, agora, no centro e não mais na periferia da análise e da psicanálise em seus fundamentos teóricos. Como consequência, no campo teórico, Freud deve articular a transferência com a teoria pulsional. Em termos gerais, como diz Mezan,

> daí por diante a transferência será encarada como um destino pulsional, mais do que como exemplo "diurno" dos mesmos processos que estruturam o sonho. A questão agora passa a ser: de quais objetos infantis o analista torna-se substituto graças à transferência? E de que modo a transferência presentifica este objeto, ao mesmo tempo que bloqueia o acesso a ela?[222]

Podemos ainda abrir outros atos na história da transferência-psicanálise, relacionando e articulando a transferência com o narcisismo (1914), com a pulsão de destruição (1920) e com a segunda tópica do aparelho psíquico (1923). Não resta dúvida de que o tema é instigante e inesgotável. Como exemplo disso, temos o famoso "debate inaugural"[223] entre M. Klein e A. Freud sobre a transferência em psicoterapia de crianças, evidenciando diferentes formas de se caracterizar e lidar com a transferência na situação analítica,[224] prenunciando, com isso, as diferentes escolas de psicanálise.

Haveria também um importante capítulo a respeito da transferência na psicose, considerando as divergências de vários autores em relação à posição de Freud quanto à inexistência do fenômeno da transferência nos quadros de neuroses narcísicas (psicoses).

Deste pequeno apanhado da história da transferência em psicanálise, podemos extrair alguns ensinamentos. Freud tinha dito que a ciência psicanalítica se apoia em quatro pilares: as teorias do inconsciente; da resistência e repressão; da sexualidade; e do complexo de Édipo.[225] Por sua vez, a prática clínica psicanalítica, mais do que se apoiar, gira em torno da transferência. É a partir dela, e nela, que os elementos de análise (narcisismo, complexo de Édipo, pulsões agressivas etc.) poderão ser vistos, articulados e elaborados.

Independentemente de qualquer questão corporativista (psicanálise *versus* psicoterapias), a análise da transferência em psicoterapia é o único meio conhecido de se evitar as atuações transferenciais-contratransferenciais da sugestão e da sedução. Ou, como já se havia dito, sem a análise da transferência, o trabalho interpretativo sobre os conteúdos do inconsciente corre o sério risco de estar sendo "filtrado" e distorcido a mando de interesses narcísicos.

Já não temos dúvida de que a transferência é um fenômeno poderoso e universal, embora na maioria das vezes se apresente de maneira sutil e discreta. Vivemos, na concepção psicanalítica, mergulhados em um oceano transferencial, atuando e repetindo o "passado esquecido sobre todos os aspectos e dimensões da realidade atual e não apenas sobre a pessoa do médico".[226] Se isso é assim, e não duvido, então a pergunta é: de onde vem tanta força, energia e necessidade de se transferir? Em termos psicanalíticos, quais os fundamentos econômicos da transferência? Este é o assunto que proponho abordar a seguir.

ASPECTOS ECONÔMICOS DA TRANSFERÊNCIA

Em uma situação informal, uma amiga contou seu processo de busca de psicoterapia. Recebeu algumas indicações e foi fazer as entrevistas iniciais. Depois de escolhido o analista e estabelecidos os horários e honorários, deitou-se no divã e disse: "Para economizar tempo e dinheiro, vamos começar pelo momento em que eu me apaixono por você".

Essa passagem, real e bem-humorada, além de evidenciar o quanto a psicanálise é difundida em nossa cultura, fornece a chave para a abertura do assunto em pauta: a inevitabilidade da transferência no processo analítico.

Poderíamos pensar, como esta amiga, que a transferência pode ser acionada pelo comando da consciência. Caso isso fosse possível, a frase desta amiga não seria cômica, a transferência não existiria e tanto a psicanálise quanto este trabalho não teriam razão de existir. Felizmente, o cotidiano clínico oferece farto material para esta e muitas outras piadas a respeito das psicoterapias. E também autoriza o prosseguimento deste trabalho.

Como já estamos familiarizados com o conceito de transferência, percebemos que o engano desta amiga foi achar que a transferência só começaria na primeira sessão, quando sabemos que a dinâmica transferencial já estava agindo no processo de escolha do terapeuta, entre os candidatos entrevistados por ela. Esta afirmação é sustentada por inúmeras pessoas que descobrem, durante a psicoterapia, os motivos de terem escolhido este e não aquele terapeuta (muito velho(a), muito jovem, gordo(a), com bigode, simpático(a), inteligente, inspira confiança etc.). Considerar as simpatias e antipatias imediatas como resultantes, em alguma medida, de nossas dinâmicas transferenciais intrapsíquicas é algo que já nos dá a dimensão do quanto estamos sempre prontos para transferir.

Na transferência temos, inicialmente, o objeto do desejo. E é sobre ele, ou melhor, é a partir e por intermédio dele que se realiza a análise da transferência. Isso porque,

> como o objeto deste desejo foi originariamente uma coisa ou uma situação exterior à psique, é por meio da impressão que este objeto se inscreve na fantasia, a partir do acontecimento ou da experiência que o contextualizava.[227]

O outro componente do desejo, aquilo que anima e carrega afetivamente a representação do desejo, caracterizando-o como objeto desse desejo, é a pulsão. É esta força, carga ou energia que vai agora receber nossa atenção.

A teoria psicanalítica da repressão, repetimos, atesta o sucesso da dinâmica repressiva no que se refere à representação. Em contrapartida, reconhece o fracasso dessa dinâmica quando se trata de combater o aspecto pulsional da representação. Para compreendermos o porquê desse fracasso, precisamos desobedecer à divisão didática realizada por Freud — para quem "o estudo das fontes pulsionais já não compete à psicologia"[228] — e restabelecermos os vínculos entre o somático e o psíquico.

Retomando o percurso pulsional, temos a pulsão concebida como representante psíquico das excitações somáticas, ou seja, ela é porta-voz de tensões orgânicas. Enquanto tal, sinaliza para o psiquismo a existência de tensões somáticas que precisam ser desfeitas, descarregadas. Insisto e repito: a pulsão é sinalizadora. Não é a pulsão que deve ser descarregada, e sim a tensão orgânica. Isso pode parecer óbvio, mas muitas vezes confundimos e tomamos a pulsão pela tensão. O fato de tomarmos consciência de uma determinada pulsão em forma de desejo ou emoção não resolve o assunto. É preciso realizar essa emoção, descarregar a tensão correspondente, seja de forma direta, seja de forma sublimada. A conscientização é condição necessária, mas não suficiente para a satisfação das excitações somáticas.

Uma analogia pode ilustrar essa situação. Tomemos uma usina hidrelétrica, sem nos esquecermos de que esta analogia tem seus limites. A barragem do rio gera uma grande quantidade de energia potencial, que é percebida pelos sensores e sinalizada no painel da central de comando da usina. Quando o volume de água da barragem aumenta, as luzes, relógios e ponteiros do painel de controle indicam que o nível de energia potencial está alto. Algo deve ser feito para que o volume de água não transborde ou rompa os muros da barragem.

O operador da cabine de comando pode tomar pelo menos três atitudes distintas. Ele pode reconhecer o aumento de tensão indicado no painel e diminuí-la, acionando as turbinas, abrindo comportas e/ou desviando a água excedente para lagos adjacentes. Essa água excedente poderá futuramente ser rebombada para a barragem, quando for necessário aumentar o seu potencial. Também pode desligar o painel ou cobri-lo com o paletó e sair para tomar um café. Ou, ainda, quebrar o vidro do relógio e, com os dedos, colocar o ponteiro em uma posição de tensão "aceitável".

Como o exemplo é simples, não há dificuldade para se compreender a analogia. O rio, como a bioenergia, enquanto não encontra obstáculos, corre solto e irriga os campos (corpo). A barragem (couraça muscular do caráter) transforma a energia cinética do rio em energia potencial (tensões somáticas). A central da usina (psiquismo) administra os níveis de tensão da barragem, a partir das informações que recebe de seus sensores. O operador da central (ego) decide quais destinos serão dados à energia potencial (tensões somáticas).

Também reconhecemos que uma certa quantidade da energia produzida será utilizada na manutenção e no funcionamento da própria usina (funcionamento dos instrumentos do painel, iluminação, ventilação e aquecimento, acionamento dos motores das comportas, rádio, telefone etc.). Mas não podemos conceber uma usina que consuma toda a energia produzida. Num caso assim, as cidades próximas rapidamente definhariam por falta de energia elétrica. Em nossa analogia, podemos dizer que parte da bioenergia é utilizada para a manutenção do organismo (manutenção da temperatura do corpo, digestão, respiração, operações motoras e funcionamento cerebral e psíquico). Na terminologia psicanalítica, essas funções de manutenção são representadas pelas pulsões de autoconservação.

Voltemos ao operador da cabine de comando (ego). Espero que estejamos de acordo que o operador que distribui e canaliza uma parte da água para as turbinas, deixa seguir outra parte diretamente para o rio e desvia outra ainda para os lagos reservatórios representa, para nós, um ego saudável. Acionando as turbinas, ele está transformando a energia potencial em eletricidade. Essa eletricidade, por sua vez, será transformada em luz, calor, som etc. Chamemos essas transformações e diferentes aplicações da energia de sublimação. A parte da água deixada correr livremente seguirá seu curso natural. A analogia aqui será com a gratificação direta das pulsões sexuais. A água desviada para os reservatórios representa a manutenção de um grau mínimo de tensão para a pulsação vital e o adiamento de uma gratificação imediata.

Nas outras duas situações propostas, nas quais o operador nega ou falseia o aviso de aumento de tensão, podemos perceber egos confusos, agindo sobre as pulsões e não sobre as tensões. O resultado, sabemos, será o transbordamento ou a irrupção da barragem.

Poderíamos ainda pensar em outras possibilidades, outras aproximações, outras analogias. Também devemos lembrar que as analogias têm seus limites. A couraça muscular do caráter, por exemplo, é algo mais complexo que a barragem de concreto. Ela (a couraça) se mantém, utilizando parte da energia a ser represada, coisa impensável na barragem de concreto. Apesar disso, percebemos alguns princípios comuns de funcionamento, como os que foram citados acima (aumento de tensão – sinalização – percepção – interpretação – ações de descarga – diminuição da tensão).

O ser humano é muito mais complexo que uma hidrelétrica. O psiquismo vai muito além de duas ou três operações básicas. Ainda assim, mesmo com toda complexidade e refinamento, o animal humano não escapa da ação de leis da natureza física (a gravidade, por exemplo) e biológica (tensão – carga – descarga – relaxamento). Iludir essas questões é caminhar para o transbordamento (psicose) ou para a irrupção (somatização).

Esta maneira de pensar tem consequências clínicas. Considerando o desejo (investido de energia pulsional) como uma representação, a qual sinaliza tanto a existência de um aumento de excitação somática quanto o suposto caminho para resolvê-la, procuramos realizar a análise desse desejo, não apenas como um fim em si mesmo, mas também como um meio de se operar sobre as fontes das excitações somáticas. A análise é importante, mas, por si só, não resolve o conflito. A descarga pulsional (o alívio causado por um *insight)* não resolve totalmente a questão. Compreender, por exemplo, os motivos pelos quais o trabalho não traz satisfação não basta.

É preciso alterar, na prática, as relações com esse trabalho. A conhecida piada sobre o sujeito que recorreu à análise para resolver seu problema de enurese noturna e, passados dez anos de tratamento, aprendeu a se orgulhar por continuar a fazer xixi na cama é motivo de riso, mas também de reflexão.

Se o "fazer xixi na cama" for considerado apenas como uma questão da esfera psíquica, se esse ato for somente a expressão de uma pulsão, ter orgulho disso será uma compensação (adaptação) para a inevitável troca diária dos lençóis. Agora, se essa enurese for compreendida como descarga de um acúmulo energético (estase), causado pela falta de uma vida sexual-amorosa, então a solução da enurese estará no estabelecimento dessa vida sexual-amorosa.

A análise de conteúdos é imprescindível. Trazer à consciência as fantasias e sonhos eróticos desse "paciente neurótico" (que, insisto, em hipótese disparam a enurese) é fundamental para o estabelecimento de tal vida sexual-amorosa. O processo analítico não está sendo negado. Pelo contrário. Ele é o meio para se compreender os conflitos amorosos e para atingir a fonte somática desses conflitos. O que ressalto aqui é a importância de se encontrar uma solução para o conflito somático, além da compreensão psíquica. Se não houver encaminhamento para o conflito somático, a fonte continuará enviando pulsões, as quais seguirão pressionando, provocando, com isso, novos sintomas.

A experiência clínica tem comprovado as observações de Reich[229] de que pacientes que restabelecem trocas afetivas mais intensas e potentes estão menos sujeitos a "recaídas" (isto é, a retornos neuróticos) do que pacientes com alto grau de elaboração psíquica, mas sem vínculos afetivos no cotidiano. Assim, discordando de Freud, o estudo das fontes pulsionais interessa, sim, à psicologia. Não uma pesquisa aprofundada das estruturas ou da fisiologia das células, mas um estudo para uma compreensão funcional das relações soma-psique.

Com o entendimento de que o aspecto econômico não é mera representação e sim expressão contínua das excitações somáticas, retomemos o tema da transferência.

Quem já viu uma pessoa em uma explosão de violência reparou que para contê-la são necessários quatro ou cinco homens bem fortes. Independentemente dos motivos da explosão, essa situação nos dá a exata dimensão do potencial energético que carregamos dentro de nós. Falando em termos energéticos, somos a tal usina hidrelétrica, um vulcão ou um poderoso furacão. Mas também somos, falando agora em termos caracteriais e de couraça muscular, compostos por quatro ou cinco homens bem fortes, dispostos a conter qualquer acesso de fúria. Podemos dizer que, durante o acesso de violência, a função caracterial entra em falência e as forças biológicas se expressam em sua plenitude. Esta é uma situação-limite e serve para ilustrar o conflito de forças existente dentro de todo ser humano. Valem também para nos lembrarmos de mais um ponto importante.

As forças biológicas, as excitações somáticas agem desde sempre. No animal humano em especial — e por razões de inúmeras ordens —, essas excitações só podem ser minimamente satisfeitas. Supõe-se que o enorme caudal de excitações não tramitadas provoque o surgimento e o desenvolvimento de um psiquismo encarregado de organizá-las, administrá-las e descarregá-las, além, é claro, de ter de lidar com a realidade externa imediata.

Mesmo tendo sido desenvolvido para realizar as tarefas acima, o psiquismo — e em especial o ego — não consegue desempenhar suas funções de forma satisfatória.[230] Isso não é novidade, espero. Mas é importante para pensarmos na função econômica da transferência.

Para poder funcionar com um mínimo de coerência, o ego (sobretudo o ego infantil, frágil e em formação) começa a criar barreiras internas para conter o excesso de afluxo das excitações somáticas. Essas barreiras (mecanismos de defesa) irão impedir que as representações de inúmeras excitações cheguem à consciência. Mas, como também já foi visto, as excitações são incoercíveis e só se resolvem em ato. No caso da repressão, as representações permanecerão no inconsciente, enquanto suas cargas afetivas percorrerão outros destinos (deslocamento para outras representações, conversão somática etc.). Esta última afirmação será questionada adiante.

Dada a necessidade egoica de excluir da consciência uma grande quantidade de desejos impossíveis de serem realizados (e que por isso passam a se tornar penosos), concebemos o inconsciente como um território, inicialmente virgem, que vai sendo povoado pelas representações exiladas da consciência.

Supomos que o inconsciente, cuja população cresce a cada dia, não seja um depósito de figuras inertes. A observação das patologias nos leva a deduzir que as representações inconscientes possuem intensidades diferentes e se agrupam (segundo uma determinada lei, da qual falarei adiante), formando complexos de representações. Destes, o mais importante, na teoria psicanalítica, é o complexo de Édipo.

O que é a transferência? Em seu aspecto representacional, é a atualização de um complexo de relação. Em seu aspecto econômico, é a busca da descarga da energia ligada ao complexo.

Por que a transferência é inevitável?

Voltemos, mais uma vez, à formação do aparelho psíquico. Quando o ego, por necessidade, se biparte em consciência e inconsciente, estabelece com isso uma nova ordem de funcionamento. Nessa nova configuração psíquica, as excitações (em especial aquelas produzidas no interior do organismo) não chegam mais diretamente à consciência. Passam primeiro pelo território (cada vez mais povoado) do inconsciente. Ao passar pelo inconsciente, as energias das excitações são atraídas pelos complexos. Detenhamo-nos um pouco nisso.

Estamos acostumados a pensar que a pulsão, para chegar à consciência, necessita se ligar a uma representação. Algo como se ela precisasse escolher e vestir uma roupa para se apresentar à consciência. Por que a pulsão escolhe uma e não outra representação?

Se os complexos estivessem inertes no inconsciente, isto é, livres de carga, as pulsões "escolheriam" diretamente representações pré-conscientes, muito mais passíveis da aceitação na consciência do que as inconscientes. Lembremo-nos de que, por definição, o objetivo da pulsão é a descarga, da forma mais imediata possível. A pulsão, como a bioenergia, a eletricidade, a água do rio, busca o caminho mais fácil e direto para poder correr livremente. Se a pulsão, contrariando seu princípio, estabelece "ligações perigosas" com representações reprimidas, precisamos desconfiar de que ela não escolhe, mas é escolhida por essas representações.

Não só a clínica, mas também o cotidiano, com seus lapsos e atos falhos,[231] nos permitem perceber o quanto as representações reprimidas estão carregadas de energia, aguardando uma oportunidade para se realizar. O ato falho, por exemplo, não acontece aleatoriamente. Ele ocorre — segundo a consciência — justamente no momento em que não poderia. Por quê?

Minha hipótese é de que as representações reprimidas estão carregadas de energia. Porém, suas quantidades energéticas não são suficientes para ultrapassar a barreira repressora. Quando uma situação provoca um incremento energético no inconsciente, as representações, já carregadas, vão atrair para si quantidades dessa nova energia, aumentando suas cargas. Com o potencial energético aumentado, a representação consegue ultrapassar a barreira repressora e se realiza em ato dito falho. Nessa hipótese, não foi a repressão que cedeu. Foi a representação que se fortaleceu e ultrapassou a barreira de repressão.

Essa hipótese não invalida a possibilidade de vermos, em outras situações, a emergência de conteúdos do inconsciente, em virtude da atenuação das funções das instâncias repressoras. Este é o caso, por exemplo, da produção onírica. Durante o sono, as tais instâncias repressoras diminuem suas atividades, facilitando assim o acesso de representações inconscientes à consciência. Também, nesse caso, supomos representações energeticamente carregadas.

Voltando ao ato falho, podemos fazer ainda uma consideração. A ação falha não é aleatória. Ela tem um sentido (inconsciente) específico e, portanto, ocorre em uma situação específica ou, se quisermos, propícia. Dito de outro modo, temos centenas de representações inconscientes "prontas para falhar". A hipótese aqui é de que a situação específica vai carregar energeticamente a representação específica. Não existe sorteio ou coincidência. A representação em questão encontrou a via imediata de descarregar sua energia. Isso é facilmente perceptível no humor.

Um sujeito conta uma piada e o outro ri. Por que o outro ri? A piada é o relato de uma situação. Durante o relato, o ouvinte foca a atenção no enredo, acompanha o desenvolvimento da situação, vai se tensionando, aguardando e tentando prever o desfecho da história. Está havendo um aumento de tensão, e esse aumento está sendo atraído por uma representação (ou complexo) inconsciente. Com o desfecho da piada (geralmente sádica), o ouvinte ri. O que ocorreu, em termos energéticos? A excitação causada pela história foi atraída por uma representação inconsciente específica (que já estava sendo selecionada pelos indícios fornecidos pelo enredo). Essa representação, devidamente reprimida (dada sua conotação "político-pedagógica-religiosa-sexual-racial etc. incorreta"), encontra agora, com o incremento de suas cargas, forças para ultrapassar a barreira repressora. O resultado é uma convulsão orgástica em forma de riso.[232]

A contraprova dessa hipótese, ou teoria, é fornecida pelas crianças. Quando uma criança ouve uma piada de cunho racista, religioso etc., ela não ri. Não ri, não entende e pede explicações para saber do que os adultos estão rindo. Pela teoria, a explicação é simples. Ela não tem, ainda, em seu inconsciente, representações de preconceitos reprimidos. Não existem conteúdos inconscientes para imantar as excitações produzidas pela situação externa atual (o relato de piada). As crianças riem com as cócegas ou com o palhaço escorregando na casca de banana, mas não entendem a graça da freira que teve um filho e não abandonou o hábito, apenas o suspendeu um pouco.

Retomando a dinâmica da repressão, podemos pensá-la da seguinte forma: quando a repressão incide sobre uma representação, o aspecto representacional submerge para o inconsciente. Parte da energia dessa representação se desliga dela e segue outros destinos. E uma certa quantidade (variável) de energia permanece ligada à representação, agora inconsciente.

Imaginemos o inconsciente como um território povoado de representações pulsantes. A intensidade de pulsação de cada representação, isto é, a quantidade de carga energética, ou ainda, a quantidade de afeto ligado à representação depende das condições em que foi realizada a repressão.

Depende da intensidade afetiva do desejo (antes de ter sido reprimido) e também da situação repressora: quem foi o agente repressor (pai, mãe, professor...), como foi feita a repressão (violência física, violência moral, ameaça...) etc.[233]

Segundo esta linha de raciocínio, podemos entender o fundamento energético (econômico) das fixações. Quanto mais intenso for um desejo e quanto mais intensa for a repressão, maior será a fixação da energia na representação do desejo.

Temos então um inconsciente povoado por inúmeras representações, carregadas com diferentes intensidades de energia. Supomos que no inconsciente também vigore a lei de atração energética. Segundo essa lei, um núcleo energético mais forte tende a atrair um outro mais fraco. É curioso pensar, a partir do ângulo oferecido por essa lei, como acontecem algumas situações sociais. É muito comum vermos algumas pessoas, energeticamente poderosas, atraírem outras mais fracas. Se essa pessoa forte quiser, ela pode manipular a situação e transformar-se em um líder. O desdobramento disso é muito conhecido. O líder vai se tornando mais e mais forte, poderoso e rico, e os discípulos mais e mais submissos, dependentes e pobres. Vemos isso também em algumas relações amorosas e profissionais. De volta ao inconsciente, pensamos em representações mais intensas atraindo as menos intensas e formando, assim, aquilo que chamamos de complexos.

Prosseguindo com a ideia de complexo, podemos imaginá-lo, a partir de um modelo biológico, como um corpo composto por um núcleo central (a representação com maior intensidade afetiva) e vários corpúsculos (as representações menos intensas) ligados a esse corpo central. Esse complexo tem agora mais força, mais carga. E o seu núcleo está, também, mais protegido. Não precisa mais se expor abertamente. Vejamos isso.

No caso do líder, depois de arrebanhar um número suficiente de seguidores, passa a não mais sair. Fica no templo, meditando. Os discípulos vão para as ruas vender incenso, pedir doações e convencer futuros adeptos.

Na clínica, nem a transferência se explicita de imediato, nem seu núcleo se mostra escancaradamente. Um terapeuta experiente não se deixa iludir pelo paciente que se declara apaixonado na primeira consulta ou que reconhece seu desejo de matar o papai e dormir com a mamãe. O jogo transferencial é muito mais complexo e sutil. É um jogo no qual os detalhes são importantes. O comentário do paciente sobre a cortina da sala, o cinzeiro, a roupa ou o tom de voz do terapeuta é o detalhe transferencial, é o corpúsculo ligado ao núcleo central do complexo. A cortina (ou o cinzeiro etc.) não será o objeto de análise. A cortina é o elemento inicial de uma cadeia de associações. A cortina não tem a menor importância, mas os comentários a respeito dela, sim.

Na transferência, o jogo consiste em realizar a descarga energética do núcleo do complexo (o que seria prazeroso) sem a consciência de seu conteúdo representacional (o que seria desprazeroso, condenável, caso contrário não estaria reprimido no inconsciente). Por isso (princípio do prazer), o paciente deseja a descarga, mas resiste a reconhecer seus motivos.

Podemos, então, pensar que há inicialmente uma transferência energética do núcleo central do complexo, cuja representação é altamente censurável, para uma outra menos perturbadora para a consciência. Na situação clínica, a representação do complexo não está na cortina, mas a carga energética do complexo está. A situação do fetiche é a que melhor exemplifica isso. O fetichista realiza o ato sexual com o sapato ou com a calcinha de uma mulher. Com isso, evita o contato com a ideia de que a mulher seja um homem castrado.

A transferência é a atuação (realização sem conscientização) de um complexo. Nela, o paciente (e todos nós) procura pessoas e situações para realizar seu drama inconsciente.

O complexo é um autor em busca de personagens. A proposta na clínica é (ou deveria ser) não encenar a peça, mas estudar o *script*.

Uma última consideração pode ajudar a perceber a importância dos aspectos econômicos na transferência. Começo com uma pergunta: Por que uma atuação transferencial "bem-sucedida" (com descarga prazerosa, como por exemplo no caso do fetichista) não elimina o complexo? Vamos começar lembrando que as representações reprimidas guardam uma quantidade variável de carga. Devemos também considerar que para uma representação intensa existe uma repressão energeticamente correspondente.

No caso extremo da realização fetichista, há uma descarga energética. Porém, essa descarga é parcial. Por quê? Como a representação da mulher castrada é intensa e seria desprazerosa se viesse à consciência, a ponto de superar e impedir o prazer do gozo (não fosse assim, não estaria tão intensamente reprimida), ela (a representação) permanece reprimida, conservando uma certa quantidade de energia. Há prazer, mas com um certo desconforto.

Podemos ver aí a importância do conceito reichiano de potência orgástica. Esse conceito fala exatamente da capacidade de entrega (seja na relação amorosa, seja no trabalho etc.), da possibilidade de uma realização ampla da descarga energética e não apenas parcial. Vemos também como o conceito de genitalidade (que não significa simplesmente potência eretiva e ejaculativa, pois isso o fetichista tem) ajuda a compreender a diferença quantitativa-qualitativa entre descarga total e descarga parcial.

A partir do pensamento reichiano e de suas concepções energéticas, passamos a apreciar as diferentes intensidades da transferência de diferentes pacientes. Podemos aprender, por exemplo, a distinguir o paciente psicótico do paciente neurótico (e o grau de comprometimento neurótico) a partir da intensidade da situação transferencial proposta. É, então, a intensidade com que a transferência se apresenta que nos informa a respeito da gravidade da situação com a qual iremos nos deparar.

Assim sendo, pensando a transferência como atuação (inconsciente) de um complexo, mesmo que algo se realize e se descarregue, não podemos falar em uma realização (energética) bem-sucedida. Se o complexo permaneceu inconsciente, alguma carga continua em estase. O "sucesso" transferencial só seria alcançado com a conscientização do reprimido, o desligamento de energia ligada ao complexo infantil e a realização plena dessa energia na situação atual. Mas aí já não se trata de transferência e sim de gratificação orgástica direta ou de sublimação.

Concluindo, espero que esta visão econômica da transferência tenha sido clara e consistente o suficiente para demonstrar que a transferência é um fenômeno universal e inevitavelmente humano, presente não só nas situações terapêuticas, mas nas relações humanas de modo geral, não sendo, portanto, capricho ou manha deste ou daquele sujeito, e sim uma necessidade psicossomática de realização e descarga, constituindo-se, por isso, em um mecanismo de defesa. Como qualquer outro mecanismo de defesa, a transferência visa à resolução de um conflito. Mas, como qualquer mecanismo de defesa, a resolução é apenas imediata e parcial. De tentativa de solução de um conflito, a transferência transforma-se em armadilha. Por tudo isso, considero a análise da transferência (e das resistências) o elemento central e fundamental da VCA, como caminho para uma psicoterapia capaz de superar as artimanhas da sugestão e da sedução.

Não creio ter respondido a todas as perguntas do leitor e não almejo tanto, uma vez que também carrego ainda uma série de dúvidas e questionamentos. Espero, contudo, que algumas delas se esclareçam nas páginas que virão a seguir.

3. A transferência na vegetoterapia caracteroanalítica

CONSIDERAÇÕES INICIAIS

Espero que as informações apresentadas até aqui tenham possibilitado ao leitor formar uma ideia a respeito da VCA, de modo que possa melhor apreciar as situações clínicas relatadas adiante.

Antes de definir a VCA como uma escola ou como *técnica*[234] específica de psicoterapia corporal, procurei caracterizá-la como um *método*[235] de investigação da unidade funcional soma-psique. Dito de outro modo, ressaltei o aspecto metodológico da VCA, entendido como um percurso de acesso ao psiquismo (pela via somática). Foi este o percurso trilhado de forma pioneira por Reich.

Demonstrei também que, a partir desse método, Reich experimentou diferentes técnicas, isto é, várias formas e maneiras de cumprir o percurso ditado pelo método. Vista assim, como método, a VCA pode ser considerada fonte de inspiração para as diversas técnicas de psicoterapia somática.

Vimos ainda a economia sexual servindo de referência teórica para diferentes escolas de psicoterapia corporal, quando elas operam segundo os princípios da unidade funcional soma-psique, do caráter, da couraça muscular, da bioenergia e da função do orgasmo (pulsação orgânica em quatro tempos: tensão mecânica – carga bioenergética – descarga bioenergética – relaxamento mecânico).

Um outro esclarecimento foi feito a partir do nome VCA. Em sua origem, a VCA significa uma psicoterapia de análise de caráter com abordagem corporal. Nesses termos, o trabalho corporal deve operar de forma integrada à análise de caráter, viabilizando e completando essa análise, e não tentando substituí-la.

Esta forma de compreender a VCA, integrando o trabalho corporal à análise de caráter, implica em se considerar a transferência como elemento central do processo psicoterapêutico. E com isso chegamos ao núcleo deste trabalho.

Os relatos clínicos irão demonstrar como o trabalho corporal pode favorecer a análise da transferência (e, consequentemente, o processo analítico) ao incrementar as tensões pulsionais psíquicas — como decorrência das excitações somáticas provocadas pela movimentação corporal — aumentando a carga afetiva das representações mentais e tornando-as, por isso, mais facilmente perceptíveis pela consciência.

Além dos aspectos econômicos (aumento das cargas afetivas), veremos como, dinamicamente, o trabalho corporal favorece a vivência, e não apenas o relato, de uma experiência emocional.

Por exemplo, veremos como o paciente se percebe envergonhado, inibido, excitado etc. no momento em que se expõe corporalmente. Essa vivência atual — suponhamos, de vergonha em estar se expondo corporalmente ao terapeuta — é sentida "a quente" pelo paciente. Ele se percebe envergonhado, e não apenas diz que se considera um sujeito envergonhado em determinadas ocasiões. E é justamente essa percepção emocional que logo abre o caminho associativo para os conteúdos do inconsciente e para as relações entre esses conteúdos e a situação atual. Poderemos ver isso em detalhe na apresentação dos casos clínicos. Antes, gostaria de fazer ainda algumas considerações gerais sobre a transmissão de conhecimento em psicoterapia corporal, o trabalho corporal e também o escrever a respeito desse processo.

É fato incontestável que os psicorporalistas escrevem muito pouco. Mesmo Reich, que nos deixou uma extensa obra, pouco escreveu a respeito da clínica psicorporal propriamente dita. A transmissão de conhecimento em psicoterapias corporais foi feita até os dias de hoje quase exclusivamente por via oral e experiencial. Daí termos poucos escritos. Além disso, constatamos que a maioria desses textos se refere a teorias biopsicológicas e técnicas de intervenção corporal (exercícios, massagens etc.). Sobre a relação terapeuta-paciente, a produção literária é realmente pobre.

Embora sejam praticadas no mundo todo, as psicoterapias corporais não são conhecidas para além dos círculos em que são praticadas. Excluídos pacientes e terapeutas psicorporais, grande parte das pessoas não tem noção do que seja uma psicoterapia corporal. Tomemos a psicoterapia verbal como contraponto. Mesmo um indivíduo que nunca realizou um processo de psicoterapia verbal sabe como isso acontece. Ele já presenciou a cena psicoterapêutica no cinema, na televisão, no teatro, na literatura, na pintura ou até nas charges e nas histórias em quadrinhos. Ele sabe (mesmo que se configure a psicanálise como modelo de psicoterapia verbal) que o paciente se deita no divã e o psicólogo se senta atrás dele. Ele também conhece palavras-chave da psicologia: inconsciente, repressão, desejos infantis, complexo de Édipo etc.

É certo que a psicologia é a ciência do século 20 e que razões históricas e sociológicas podem explicar seu enorme desenvolvimento e penetração no cotidiano do homem moderno. Sem dúvida, um dos fatores que muito contribuíram para a divulgação da psicoterapia (psicologia aplicada à clínica) foi a escrita, sobretudo a escrita psicanalítica. Nenhuma outra escola de psicologia pode rivalizar com a psicanálise no tocante à literatura, seja em relação ao volume (quantidade de páginas) seja em relação à variedade de temas relacionados a outros saberes (sociologia, religião, medicina, filosofia, artes e cultura em geral).

Voltemos ao tema, pelo caminho inverso. Graças à escrita psicanalítica, a psicoterapia verbal é conhecida mesmo por não praticantes. Nesse percurso causa-efeito, temos a seguinte situação: os psicorporais escrevem pouco. Pouco se lê e se divulga sobre psicologia e corpo. Pouco se sabe sobre psicoterapia corporal. É preciso, então, escrever e divulgar a psicoterapia corporal, para que se superem algumas ignorâncias e preconceitos a seu respeito.

Enquanto a dicotomia soma/psique não estiver superada, continuaremos a acreditar que a fala não é também uma expressão corporal (como se o que impulsionasse o ato de falar não fosse uma emoção advinda de excitações somáticas e sua expressão não envolvesse a respiração e seus respectivos músculos, o aparelho fonador com suas cordas vocais, boca, língua etc.). Nas inúmeras entrevistas e consultas que antecedem ao primeiro trabalho corporal *strictu sensu,* estamos observando a fala do sujeito: sua postura, seu olhar, seu tom de voz, além do conteúdo de seu discurso. *Quando uma experiência corporal é proposta, já há um extenso caminho percorrido na relação terapeuta-paciente.*

Cabe observar que *a experiência corporal é (ou deveria ser) proposta com um objetivo específico: aumentar a percepção do conflito.* Se na psicanálise o terapeuta enfatiza este ou aquele detalhe do relato do paciente, na VCA também se exacerba esse detalhe. Dou um exemplo: uma paciente conta um sonho no qual ela está abrindo caminho pelo mato com um facão. Ao realizar um gesto amplo com o facão, atinge o pescoço da irmã que vem logo atrás. Sabemos (por sessões anteriores) que essa irmã mais velha é uma figura de identificação importante. O trabalho corporal incidiu sobre o pescoço. Sua própria interpretação para o sonho (depois da vivência corporal) foi de que ela deveria "cortar a cabeça da irmã" para poder pensar com a própria cabeça.

Um outro exemplo nos mostra que um detalhe mal interpretado pode pôr tudo a perder. Também é um sonho e se refere ao pescoço. Esta paciente sonha que está em um barco com a família. Ela cai na água e começa a gritar. Ninguém a escuta, e o barco se afasta. Ela fica à deriva, só com a cabeça fora d'água (detalhe notado por ela). Fazemos o trabalho corporal incidindo sobre a respiração (tórax, diafragma, abdômen). Meu grave erro de leitura resultou na interrupção do tratamento. Ela só tinha percepção da cabeça e do pescoço. O resto do corpo estava submerso no inconsciente. Isso nos mostra que *o paciente está sempre assinalando o que está pronto para ser sensibilizado.* É uma questão de saber ler.

O trabalho corporal é instrumento e está a serviço da análise. Cada experiência corporal, ao mobilizar o corpo (fonte das excitações somáticas, que, por sua vez, transformam-se em pulsões e então animam as representações psíquicas), dispara uma série de sensações, emoções, imagens e fantasias. Do material bruto se extrai o refinado. Uma experiência corporal desdobra-se em análises, associações, interpretações. Uma experiência corporal depois da outra empana os sentidos. Existe uma diferença básica entre o *gourmet* e o glutão.

Toda experiência corporal é positiva. Quando propomos um trabalho corporal, temos em mente algumas premissas e esperamos algum resultado. Muitas vezes o resultado esperado não acontece. Em termos. A falta de sensações, a ausência de lembranças, o sono, o tédio etc. são expressões de resistências e, portanto, passíveis de análise.

Uma resistência assinala um limite e, como tal, tem suas razões de ser. Vencê-la a qualquer custo nada mais significa do que um atentado à inteligência. Interromper uma vivência quando as sensações atingem o limite da suportabilidade é prerrogativa do paciente.

Espero que, com mais estas referências, o leitor possa melhor acompanhar e compreender os casos clínicos que serão apresentados a seguir. Faço agora algumas considerações a respeito do ato de escrever sobre a clínica. São observações e reflexões sobre a angústia diante do desafio de transpor em letrinhas algo que ultrapassa em muito a linearidade da consciência. Esta angústia, tenho certeza, é compartilhada por todos aqueles que já se propuseram a escrever a clínica.

Apresentar um caso clínico envolve, em primeiro lugar, problemas com a ética. A regra de ouro da psicoterapia é o sigilo absoluto sobre as informações trazidas pelo paciente. Publicando um caso clínico, estamos rompendo esse sigilo. A saída é fornecida pelos usos e costumes: troca-se o nome do paciente por um nome fictício, revelam-se apenas detalhes íntimos e importantes para a compreensão do caso e não se revelam dados irrelevantes para a psicoterapia ("como o endereço e o telefone do paciente").[236] Esta e outras questões, digamos, "técnicas" sobre o relato clínico são importantes, mas não as mais angustiantes. O foco de angústia está em outro lugar.

No relato clínico, o paciente é a personagem menos importante de todas. É claro que sem ele não há história e não pode haver relato. Mas, depois de "apresentar o seu depoimento", o paciente passa para o segundo plano. O verdadeiro protagonista no relato clínico é o terapeuta.

Vejamos se consigo me explicar. Primeiramente, escrevemos casos clínicos para serem lidos e discutidos por outros terapeutas. Além dos parentes e alguns amigos incondicionais — os quais compram nossas eventuais publicações, mas que jamais passarão da página da dedicatória —, nosso público é especializado. O que nos leva a supor que esse leitor não esteja interessado no caso em si, mas em como foi conduzido. Nosso leitor está habituado às escabrosidades e peripécias do inconsciente. Já ouviu histórias de causar inveja ao Marquês de Sade. Depois de ler o caso clínico, ele pergunta ao autor: "Muito bem. A situação é essa. E daí? Agora me diga o que você entendeu da história e o que fez. Vamos ver como trabalhou e o que resultou disso".

O sentido de escrever a clínica é o de elaborar e procurar transmitir uma experiência. É transformar em conhecimento um aprendizado. Ler sobre a clínica é buscar novas formas de ouvir, pensar e operar. O desafio da escrita é conseguir traduzir com clareza não só o "caso", mas todo o seu contexto. Na clínica psicorporal, a tradução do contexto em texto é mais difícil. Seja pela falta de experiência do autor em relatar casos clínicos, seja pela escassez de modelos específicos, o relato da clínica corporal é dificultado por características do próprio trabalho. Colocar em palavras toda a intensidade emocional e a riqueza de nuances desencadeadas pela abordagem corporal é o grande desafio para quem escreve e deseja ser compreendido mesmo por quem não desfrutou de uma experiência similar.

Apresentarei alguns casos da clínica. Como o tema deste trabalho é a transferência na VCA, optei por mostrar várias situações clínicas nas quais poderemos apreciar o fenômeno da transferência e a intervenção corporal nesse tipo de ocorrência. Não são, portanto, casos clínicos no sentido clássico em que são relatados todo o histórico detalhado do paciente, os antecedentes e o desenvolvimento da enfermidade e a sequência do tratamento (com o relato de várias sessões). Se fizermos uma analogia com o cinema, podemos pensar no caso clínico como o filme por inteiro e a situação clínica como uma tomada de cena, um momento de ação. No caso, a cena transferencial equivale ao momento-chave para a compreensão do filme. A cena (transferencial) não é o filme todo. O caso clínico não pode ser reduzido à transferência. Mas da cena transferencial (e de sua compreensão) depende o entendimento e o desenvolvimento de toda a trama. Dito de outro modo, se retirarmos a cena da transferência e de sua análise, tornaremos o filme incompreensível, sobretudo para os próprios atores (terapeuta e paciente).

As cenas clínicas foram escolhidas de modo a ilustrar algumas facetas do acontecimento transferencial e das intervenções corporais nessas situações. Estão aí para demonstrar a tese segundo a qual o trabalho corporal pode ser um instrumento (uma ferramenta ou um meio) eficaz no manejo da transferência no contexto clínico. Nesse sentido, apresento apenas um recorte e evidencio a intervenção. As situações são emocionalmente intensas e cheias de sentido para quem as vive. Para o leitor sem experiência em trabalho corporal, este pode parecer um pouco mágico. Por vezes vivemos algumas situações assim, nas quais nós mesmos nos surpreendemos com a velocidade e a intensidade da situação transferencial. Mas, geralmente, o trabalho corporal segue o ritmo da análise de resistências, ditado pelo transcorrer psicoterapêutico.

Lembrando mais uma vez, a intervenção corporal é um momento do trabalho psicoterapêutico. A VCA não se reduz a essas intervenções. Sua proposta é a de ampliar as possibilidades e o alcance da psicoterapia, integrando soma e psique em uma unidade funcional.

Passemos às tais cenas e vejamos o que temos a aprender com elas.

CASOS CLÍNICOS

ROMILDA, 32 anos, solteira, professora e administradora de uma escola, sente-se realizada em sua profissão. Órfã de pai, mora com a mãe e a irmã mais nova. Financeiramente, é independente e sustenta a casa. Procura psicoterapia para compreender por que não consegue transformar seus namoros em casamento. É a primeira vez que faz psicoterapia, e nunca tinha ouvido falar em abordagem corporal.

Os dois primeiros meses de psicoterapia foram realizados apenas de maneira verbal. Nesse período, Romilda relata primeiramente seus fracassos amorosos. Desses relatos, percebemos uma constante: ela vai ficando muito ciumenta, exigente e controladora. Tem medo de ser traída e passada para trás. O grande fantasma que a persegue é a possibilidade de reviver o drama de sua mãe.

Romilda é filha do segundo relacionamento do pai. Essa união nunca foi oficializada. Ainda durante esse relacionamento, seu pai teve outra relação, descoberta por sua mãe. Pouco antes de falecer, ele se casou com uma terceira mulher (para que ela recebesse a pensão da aposentadoria) e deixou em testamento sua herança para as filhas do primeiro casamento. Romilda também se lembra de ter assistido a discussões entre os pais e de ter sido levada pela mãe para presenciar uma conversa com a terceira mulher do pai.

A partir desses elementos, proponho a Romilda o início do trabalho corporal. Desde a entrevista inicial, ela já sabe da proposta de realizar vivências corporais durante as sessões e é relembrada de que pode interromper a experiência em caso de incômodo excessivo.

Solicito a Romilda que se deite no divã e permaneça de barriga para cima e com os olhos fechados. Sento-me atrás de sua cabeça e coloco minhas mãos em concha sobre os seus ouvidos. Passados 15 minutos, sento-me ao seu lado e peço que me conte o que se passou. Ela diz que se sentiu bem. Começou ouvindo sua respiração e depois se lembrou de uma cena de infância: estava com a irmã e os pais na praia, brincando com a irmã de fazer castelo de areia. Pergunto como se sentiu em relação a mim na situação e ela diz que "tudo bem", sentiu-se acolhida.

Sobre a cena de infância, pergunto qual o sentimento que a acompanha e o que significa para ela. Emociona-se e revela que foi um bom momento de sua vida, com a família unida.

Entre essa sessão e a seguinte com experiência corporal, ocorreram três sessões de terapia verbal. Nestas, Romilda trouxe mais lembranças, situações de seu trabalho e a expectativa de encontro com um novo pretendente.

Na segunda experiência corporal, repetimos a mesma situação da primeira vez, com as mãos fazendo concha nos ouvidos. Romilda conta que, embora tenha se sentido bem durante o tempo da experiência, lembrou-se de uma cena desagradável que nunca mais havia voltado à sua lembrança. Quando tinha por volta de 7 anos, estava na casa de praia com a família. Todos estavam na praia, menos ela e um primo de 15 anos. Ele tinha saído do banho e estava com a toalha enrolada no corpo. Chamou Romilda para ir ao quarto dele. Ela foi e ele começou a manipulá-la. Ela achou aquilo estranho, não entendeu e saiu correndo. Nunca comentou com ninguém.

Pergunto se ela faz alguma ligação entre essa lembrança e a situação comigo. Vamos conversando sobre o fato de ela estar com um homem que a convida para ficarem juntos. Ele pede a ela que se deite e feche os olhos, ela não sabe o que vai acontecer e ele a toca. Romilda percebe que está sentindo o mesmo que sentiu com o primo, mas que era difícil reconhecer isso, porque eu era um "terapeuta bem indicado" e não ficava bem desconfiar de mim.

Romilda nota que sua atitude colaborativa (confio porque você foi bem indicado) escondia sua desconfiança em relação a mim. E que esse sentimento vinha da situação infantil com o primo. Além disso, pudemos associar ao tema da desconfiança os seus fracassos amorosos: em seus namoros, ia ficando mais e mais ciumenta, conduta essa fruto da desconfiança e do medo de ser traída e passada para trás, como a mãe.

É interessante destacar que a primeira experiência corporal trouxe uma lembrança agradável (na praia, brincando com a irmã, a família reunida). Na relação comigo, ela se sentia acolhida. Mas a segunda lembrança revelou um aspecto desagradável da mesma situação (o cenário das duas lembranças é o mesmo: as férias de infância na praia). A desconfiança latente em relação a mim apareceu representada pela situação com o primo.

MARCELA, 38 anos, solteira. Antes de me procurar, já contava com vários anos de psicoterapia verbal. Sua principal queixa está nos relacionamentos sociais e amorosos. Excelente profissional, dedica-se muito ao trabalho e estuda bastante, até mesmo nos fins de semana. Poderia estar melhor profissionalmente, mas não consegue se fazer reconhecer como profissional competente.

Os grandes desejos de Marcela são: ter um namorado fixo (e não apenas casos esporádicos) e um grupo de amigos. Entretanto, quando surge uma situação social (um jantar, uma festa), dificilmente consegue ir. Sente muita excitação com o convite, mas na hora não consegue sair de casa. Algo a paralisa e ela não consegue dizer nada sobre isso.

A respeito dessa paralisia, também fomos percebendo (por meio de várias situações trazidas por ela ao longo das consultas) algumas diferenciações. Marcela não encontra muita dificuldade em realizar atos que lhe sejam solicitados por outros. Exemplo: quando seu superior pede um relatório ou um estudo, ela o realiza, satisfaz o pedido do outro. Mas em situações nas quais a realização pessoal está em jogo, a paralisia (resistência) se faz presente. Um trabalho extra, um "bico" para ganhar um dinheiro a mais, foi feito por Marcela com extrema dificuldade. Nessa ocasião, seu braço enrijeceu e ela teve muita dificuldade em escrever o relatório. A resistência manifestou-se corporalmente, muscularmente.

As situações sociais e afetivas são situações de prazer e realização pessoal. Nessas ocasiões, a paralisia toma conta de Marcela. Embora possua uma vasta gama de conhecimentos (cinema, literatura, música, política...), sente dificuldade em iniciar uma conversa.

A partir desses elementos, proponho que Marcela se deite, fique olhando para o teto e permaneça de boca aberta. Ela permanece imóvel durante 15 minutos. Depois diz que sentiu uma angústia imensa. Só angústia. Não conseguiu pensar em nada. Repetimos essa situação mais algumas vezes, procurando focar a atenção na angústia.

Na quarta repetição, surgiu algo além da angústia. A penumbra da sala (só há uma luz na sala, colocada do chão para o teto de modo a iluminar uma pequena parte do teto) a fez lembrar de uma situação de infância. Depois do almoço, nos fins de semana, seu pai costumava fazer a sesta. Marcela era colocada no mesmo quarto que o pai e a irmã mais nova para descansar. A mãe dizia que ela deveria ficar quieta para não acordar o pai e a irmã. Ela queria sair e brincar, mas tinha de ficar parada. Depois, associou que também não havia festas em casa porque isso perturbava muito o pai.

A proposta dessa experiência tinha um objetivo específico: fazer Marcela entrar em contato com a angústia da paralisia. Durante o tempo em que ficou imóvel, pude observar que sua postura não era relaxada. Havia tensão muscular e pequenos movimentos com os dedos. Quando conversamos a esse respeito, Marcela disse que teve medo de sair daquela posição (se mexer) porque eu poderia ficar bravo com ela. A interpretação de que o medo sentido ali comigo era o medo de atrapalhar a sesta do pai foi prontamente aceita. A vivência no trabalho corporal proporcionou a Marcela o contato com a angústia, com o medo de se movimentar e com a lembrança infantil. Quando esse tipo de experiência se estabelece (no caso, angústia – medo – lembrança), a percepção da transferência é praticamente imediata, porque o paciente está sentindo e não apenas relatando um sentimento de uma situação antiga.

TAMARA, 31 anos, casada, sem filhos, professora universitária. Procura terapia porque sente insatisfação e insegurança profissional. Não consegue reconhecer boa qualidade em seu trabalho. Quando os amigos a elogiam, fica desconfiada e incomodada.

Tamara nasceu na zona rural e é a filha mais velha (quatro irmãs e um irmão). Aos 5 anos, foi morar com os avós na cidade para estudar. Depois, veio para São Paulo para cursar a faculdade. Nesse período, morou com parentes e foi sustentada por um tio.

Selecionei duas passagens relatadas por Tamara para que possamos compreender que o que será vivido transferencialmente na terapia comigo será seu conflito com a mãe. Ela se lembra de que sua mãe nunca escondeu o desejo de ter filhos loiros de olhos azuis (desejo esse não cumprido por nenhum dos filhos). Ou seja, logo de saída, Tamara, de cabelos e olhos castanhos, não tem condições de ocupar o lugar do ideal de sua mãe. A segunda lembrança vem do dia em que sua mãe lhe comunicou que ela deveria arrumar suas coisas para ir morar na cidade para estudar. Tamara acatou a ordem, não chorou e jurou que não voltaria mais para viver com os pais.

Do ponto de vista caracterial, Tamara interage com o mundo de forma racional e objetiva. Como a mãe, encaminha e decide os assuntos sempre de forma racional. Nas consultas comigo, sempre traz uma situação específica e a apresenta de forma clara, tece comentários e quer saber a minha opinião a respeito. Cada consulta é continuação da anterior. Tamara procura ser uma paciente obediente e aplicada, fazendo a "lição de casa" entre as consultas. Quando perguntada sobre os sentimentos que acompanham seus relatos, não sabe nomeá-los. Corporalmente, seu grande foco de tensão energética é o pescoço, o que pode ser facilmente percebido pelo seu tom de voz agudo e pelo esforço que faz para falar. Podemos também conjeturar que essa tensão no pescoço tenha relação com o choro retido na ocasião de sua mudança para a casa dos avós.

Proponho iniciar o trabalho corporal a partir dos olhos. Antes de mobilizar o pescoço, penso em verificar questões relativas ao olhar. Solicito a Tamara que se deite e procure olhar fixamente para um ponto (abstrato) no teto da sala.

Passados 15 minutos, peço que me conte o que se passou. Ela conta que via um olho. Esse olho a olhava fixamente. Não fez nenhuma associação e não soube dizer o que sentiu.

No encontro seguinte, repetimos a experiência. O olho voltou a aparecer, mas dessa vez ela se deu conta de que esse olho, na verdade, era cego. Não a enxergava. Associou imediatamente com a mãe, que não tinha olhos para ela. Tampouco nessa ocasião conseguiu perceber seus sentimentos. Com relação à minha presença e meu olhar sobre ela, disse não ter tido qualquer incômodo.

Na terceira vez que faz a experiência de olhar o ponto fixo, Tamara tem uma reação emocional: seus olhos estão lacrimejando e ela se diz emocionada. Conta que se lembrou de quando tinha 3 ou 4 anos e fez alguma travessura (não lembra qual) para provocar os pais. Esperava ser procurada e descoberta. O que estava em jogo era chamar a atenção. Aguardou muito tempo. Ninguém se preocupou em procurá-la. Ficou muito triste. Eu lhe pergunto sobre as lágrimas. Ela me diz que se emocionou com a lembrança, mas sobretudo ao perceber o que estava ocorrendo ali: eu a observava e a acompanhava. Sentia uma mistura de satisfação e vergonha por ter um olhar sobre ela.

Quero ressaltar um ponto: a forma típica (caracterial) que Tamara propõe em seus relacionamentos é a repetição (transferência) da resolução encontrada por ela na relação com a mãe. As emoções devem ser sufocadas, pois o que conta é o encaminhamento objetivo das situações relacionais (ela foi à cidade para estudar). Canalizou suas energias para os estudos e tornou-se excelente aluna (é reconhecida pelos resultados que obtém). Com isso, conseguiu manter afastada da consciência sua mágoa com a mãe. O incômodo e a desconfiança dos elogios feitos pelos amigos eram um sinal de ameaça: poderiam desencadear a lembrança da cena com a mãe.

O que mais importou nessa situação vivida por Tamara foi a percepção de sua vergonha. Pela primeira vez, em muitos anos, sentia uma emoção não encoberta pela desconfiança.

A partir desse momento, pudemos "pedir ao pescoço" que nos contasse suas histórias estranguladas.

EDSON, 28 anos, é arrimo de família (o pai é inválido e a mãe cuida da casa) e trabalha como educador de menores, nível técnico.

Um traço característico em Edson é sua irritabilidade. Está sempre procurando um detalhe para criticar. Seus comentários sobre os outros têm a marca do sarcasmo. Fala alto, gesticula bastante e balança os pés e as pernas incansavelmente.

No primeiro experimento corporal, realizamos a situação das mãos em concha nos ouvidos. Em menos de três minutos, Edson começou a passar mal (a respiração ficou ofegante, movimentava a cabeça e apertava as mãos) e interrompeu a experiência. Não soube dizer o que se passou. Sentiu-se mal e só isso.

Depois de várias consultas, voltamos a fazer a mesma experiência das mãos em concha. O incômodo voltou a se repetir várias vezes, até que veio à sua memória o dia em que teve uma convulsão. A sensação era a mesma que teve aos 7 anos de idade (segundo Edson, os eletroencefalogramas feitos na época não acusaram nenhuma anomalia ou disfunção cerebral). Depois, só se lembra de ter tomado remédio até a adolescência. Conversamos sobre a importância daquele resgate. Repetimos a situação nas consultas seguintes e então surgiu o elemento que havia disparado a convulsão. Quando tinha 5 anos, Edson havia sido usado pelo primo mais velho em brincadeiras sexuais. Na ocasião, não sabia o que aquilo significava; só aos 7 anos descobriu que o primo o havia enganado. A mistura de ódio pelo primo e vergonha de si mesmo desembocara na convulsão.

A partir dessa situação, pudemos conversar a respeito da nossa relação. Edson desconfiava de que eu pudesse, como o primo, usar a situação para me aproveitar dele. O princípio de convulsão estava ali para protegê-lo de mim e da lembrança do primo.

Depois disso, Edson pôde reconhecer que sentia vergonha comigo porque havia algo de excitante ali. Associou com o primo, de quem gostava muito. (Posteriormente, verificamos que a sua figura de identificação masculina era esse primo e não o pai, inválido.) Tinha muita vergonha de admitir que sentira excitação com o primo (nas brincadeiras com o primo não havia penetração, apenas carícias e segurar o pênis excitado do outro). Também sentiu medo de ser homossexual.

Os meses seguintes foram dedicados à compreensão da relação de Edson comigo: a possibilidade de encontrar um novo modelo masculino, o medo de que essa situação repetisse a situação antiga, o medo da homossexualidade. Desse período da psicoterapia, três efeitos são dignos de nota. A retomada do trabalho corporal foi relaxada e sentida como prazerosa. Sua irritabilidade diminuiu muito. No fim do ano, prestou vestibular e começou a fazer faculdade de pedagogia à noite (lembremos que Edson trabalha como educador de menores e a implicação disso com sua experiência com o primo).

Vemos aqui, novamente, a abordagem corporal como instrumento disparador de uma lembrança emocional intensa (convulsão), que por sua vez encobria o conflito traumático original (conflito entre amor e ódio pelo primo). Não é de se duvidar que um trabalho psicoterapêutico verbal pudesse trazer à consciência de Edson aquela recordação. Mas também não se pode negar que, com o auxílio da abordagem corporal, o processo de conscientização da cena traumática reprimida foi mais rápido.

O trabalho corporal evocou primeira e imediatamente a transferência do sintoma (convulsão) em toda sua intensidade emocional. Essa intensidade mobilizou e aumentou a força das representações reprimidas, que, fortalecidas, romperam a barreira da repressão e chegaram à consciência.

O que é importante ressaltar aqui é que a elaboração da transferência foi facilitada pela própria percepção que Edson teve de seu estado afetivo na situação. Dito de outro modo, ele sentiu vergonha, e não simplesmente falou dela. Também teve medo e excitação comigo. Falamos da experiência de reviver cenas referentes a relações carregadas de afeto e revivê-las com a carga afetiva correspondente. É sobre o reviver desses sentimentos que se apoia o estabelecimento da relação (transferência) entre o atual e o antigo.

ROSELY, 30 anos, já está em psicoterapia comigo há mais de um ano. Fez, portanto, experiências corporais com os olhos, a boca e o pescoço. Nessas situações, já haviam surgido questões transferenciais pela vergonha de estar sendo observada por mim.

Na consulta que passo a relatar, Rosely traz uma situação que acabara de viver no trabalho: foi repreendida publicamente por sua chefe em consequência de um erro em seu relatório. Rosely sentiu-se constrangida com a situação, os colegas de repartição olhando para ela (a sala é grande, com várias mesas de trabalho, sem divisórias). Não conseguiu falar que na verdade o erro era da chefe, e não dela. Abaixou a cabeça sentindo-se envergonhada.

Proponho a ela a seguinte vivência: deitada, de joelhos dobrados, olhando para o teto, ela deve inspirar profundamente enquanto ergue os braços esticados e, ao expirar, deve bater fortemente no divã com os punhos cerrados e pronunciar a plenos pulmões a palavra "eu". Depois de algumas repetições (dois minutos), constatamos que ela bate os punhos com força, mas não consegue pronunciar a palavra "eu". Interrompo a situação e pergunto o que está se passando. Ela não sabe dizer por que não consegue falar, apenas sente constrangimento. Coloco uma pequena toalha em sua boca (que ela já conhecia de experiências anteriores: morder = fase oral-sádica) e peço que reinicie a experiência. Em poucos minutos, ela interrompe a ação, retira a toalha da boca e sorri. Lembrou suas primeiras experiências amorosas. Seu primeiro namorado a levou para transar na república estudantil onde ele morava. No momento em que ela estava atingindo o ápice, o namorado tapou sua boca e pediu que ela não fizesse barulho, pois os colegas de república poderiam ouvir. Esse "gozar sem fazer barulho" passou a fazer parte de seu cotidiano amoroso e espalhou-se para outras situações de sua vida. A sensação de constrangimento com a chefe era parecida.

Pergunto então sobre seu constrangimento naquele momento comigo. Rosely diz que já havia se sentido constrangida algumas vezes, mas que no momento era muito nítida para ela a carga erótica da situação.

Ela estava comigo, trancada em um quarto da clínica (república) e temia me constranger, pois seus gritos poderiam ser ouvidos de outras salas de atendimento (outros colegas) e da sala de espera.

Essa situação nos permite abordar os aspectos transferenciais eróticos no trabalho corporal. Vimos aqui como o erotismo surge de forma inequívoca para Rosely. Ela se dá conta imediatamente de suas excitações e, portanto, a conversa pode ser franca e direta. A possibilidade de prosseguimento da psicoterapia depende da renúncia, de ambas as partes, de gratificação imediata e direta das excitações e da sublimação do erotismo.

NAIR, 29 anos, já fez cinco anos de psicoterapia verbal antes de me procurar. Saiu da casa dos pais aos 20 anos, depois de muitas discussões com a mãe. Tem bom relacionamento com o pai e com os dois irmãos mais novos que ela. Apesar da idade, Nair se vê como adolescente: muda muito de emprego (não suporta horários rígidos), não gosta de compromissos, frequenta bares e danceterias de adolescentes e veste-se como tal.

No primeiro semestre de trabalho, fizemos algumas experiências corporais movimentando apenas os segmentos da cabeça (olhos, boca) e do pescoço. Essas situações foram experimentadas por Nair sem dificuldade. As dificuldades surgiram quando começamos a trabalhar com o tronco (tórax e abdômen).

Nas movimentações do tórax (bater e dizer "eu"), Nair sente-se entediada. Faz o movimento mecanicamente, não sente nada e acha chato.[237]

Proponho que Nair faça movimentação da pélvis (deitada e com os joelhos dobrados, deve erguer um pouco a pélvis e balançá-la de um lado para outro). Realiza o movimento por aproximadamente cinco minutos. Interrompe e se diz envergonhada. Ela estava ali "rebolando" enquanto eu assistia. Sentiu vergonha de se exibir. Peço a ela que volte a "rebolar", deixando que a vergonha e a exibição se intensifiquem. Em alguns minutos, tem uma lembrança de infância. Ela está na sala de casa com o pai e alguns amigos de trabalho. Há música no ambiente e ela começa a fazer um *show* de canto e dança para a plateia. Todos estão gostando da apresentação, até que a mãe, vindo da cozinha, interrompe a cena e a leva para o quarto. Nair recebe um sermão sobre seu exibicionismo e fica de castigo no quarto.

Vemos aqui a situação transferencial com clareza. A vergonha sentida por estar se exibindo para mim vem da situação infantil. Nair percebe, em primeiro lugar, o temor de que eu vá recriminar seu exibicionismo (como sua mãe).

Atrás desse temor, existe a vergonha, pois, ela se dá conta, sente excitação em se exibir para mim (pai).

Além do aspecto transferencial, quero assinalar alguns pontos a respeito das resistências no trabalho corporal.

Quero ressaltar um detalhe deste caso. Vimos que quando Nair começou a sentir vergonha por estar rebolando, interrompeu o movimento. Vemos então que a movimentação corporal provocou um afeto (vergonha) e que esse afeto, ao paralisá-la, funcionou como resistência à emergência da representação inconsciente. Ao pedir que ela seguisse a movimentação e deixasse que a vergonha de se exibir aumentasse, estávamos "desafiando a autoridade repressora", para que o reprimido pudesse emergir (o desejo de se exibir). A movimentação corporal (rebolar) excitou a representação reprimida, aumentou sua carga. Com esse aumento de carga, a representação ganhou força para emergir, mas foi imediatamente sentida como ameaçadora. O que veio primeiramente à consciência de Nair foi a vergonha, e não a lembrança da infância. A vergonha é o sentimento correspondente à cena de infância. E é também, na situação atual, aquilo que, ao paralisá-la, impede (resiste) a lembrança. Ao mobilizarmos o corpo, ativamos sua memória desejante. Em decorrência disso, as resistências aumentam e se tornam conscientes. Não é questão, portanto, nem de ceder à resistência nem de vencê-la a todo custo. Antes, é questão de compreendê-la como manifestação e função encobridora, ou seja, o objetivo não é conseguir rebolar (trabalho corporal), mas respeitar e compreender o desejo infantil reprimido e sua relação transferencial (trabalho interpretativo).

Haveria muito o que dizer a respeito das resistências no trabalho corporal: suas diferentes manifestações e as formas várias de se lidar com elas. Como o tema deste estudo é a transferência, assinalo apenas que a vergonha (como vimos no caso de Nair) é uma manifestação da resistência, assim como o tédio, o sono, a ausência de sensações, a repetição de forma mecânica dos movimentos e, em muitos casos, o excesso de excitação e sensações (apresentações "performáticas") que servem apenas de embuste contra psicorporalistas desavisados.

RUTH, 40 anos, separada, dois filhos. Veio procurar psicoterapia corporal depois de me ouvir em uma palestra sobre terapia reichiana. Já havia feito algum tempo de psicoterapia verbal. Está se formando em psicologia.

A situação sobre a qual abordaremos a transferência é relatada por Ruth no primeiro mês de nosso trabalho. Conta que quando tinha entre 10 e 12 anos acordou assustada. Seu pai a estava bolinando e, ao perceber que ela havia acordado, retirou-se rapidamente do quarto. Lembra-se de ter ficado acordada por muitas e muitas noites para não ser surpreendida pelo pai. Quando ele entrava no quarto, Ruth se mexia para que ele notasse que estava acordada. Lembra-se de que se sentia muito incomodada com aquela situação e que tentou conversar com a mãe a respeito. Emocionada, chora ao se lembrar de que a mãe não acreditou nela e não quis conversar. Já adulta, Ruth conversou com as irmãs mais novas, que confirmaram que o pai também as havia tocado.

Seria de se esperar, a partir dessa situação relatada por Ruth, que ela tivesse desenvolvido alguma repulsa em relação à sexualidade e/ou aos homens. Curiosamente, não é o caso. Sua postura diante da sexualidade é positiva. Depois de separada, teve namorados e segue procurando um companheiro.

O único resquício que ficou da cena com o pai foi percebido em um outro relato. Ruth conta que tem saído com um conhecido, mas que há algo que a incomoda. Ao descrever o último encontro, ela vai se dando conta de que o que a incomoda não é o ato sexual, mas as carícias preliminares. Percebe sua irritação ao ser tocada, acariciada e massageada. Gosta da penetração, mas de uma penetração forte. É a situação "romântica" que a irrita.

Proponho a ela que se deite para que eu a toque. Realizo uma massagem de contorno e solicito que ela fique atenta ao que vai se passando com ela. Depois da massagem, Ruth conta que inicialmente pensou que iria ficar incomodada com a minha proposta. Mas que quando comecei a tocá-la, lembrou-se imediatamente do pai e percebeu o quanto ali estava sendo diferente. Minhas mãos estavam quentes e o toque era firme, enquanto a mão do pai era fria e trêmula. Sentiu muito prazer em ser tocada.

A partir dessa vivência (que alterou o registro emocional do contato corporal), abriu-se o caminho para a elaboração do relacionamento de Ruth com o pai e da situação transferencial. Até ali, a raiva e o desprezo pelo pai eram os sentimentos conscientes. Começou então a surgir um outro lado dessa história. Na infância, Ruth admirava profundamente seu pai: gostava de ajudá-lo na autoconstrução da casa (misturava cimento, carregava tijolos), aprendia com ele sobre mecânica, carpintaria... Com essa lembrança, a ambivalência de sentimentos (admiração e raiva) em relação ao pai tornou-se consciente. E, a partir dessa situação, pudemos abordar sua transferência na psicoterapia: Ruth procura um modelo (vai se formar em psicologia e quer trabalhar em clínica) e se encanta quando assiste a uma palestra minha (ela também deseja ser professora).

Não foi difícil para Ruth perceber sua transferência positiva em relação a mim. Faltava surgir o outro lado transferencial da história: a raiva e o desprezo.

A mobilização emocional decorrente do trabalho corporal ativou as lembranças de Ruth com seu pai. Isso fez que sua admiração por mim aumentasse e se apresentasse na forma de erotismo. Seu conflito comigo era vivenciado da seguinte forma: ela sentia atração sexual, mas achava que eu a desprezava.

Essa situação transferencial apresenta peculiaridades que merecem ser comentadas. Vemos que a transferência da ambivalência de afetos aparece de forma partilhada: Ruth fica com os afetos de admiração (atração)[238] e coloca em mim o sentimento de desprezo. Lembremos que na situação conflitiva original houve a manipulação de seu corpo pelo pai e que a resultante foi o sentimento de desprezo por alguém que antes ela admirava, ou seja, na situação transferencial ela não deseja que eu faça aquilo que ela teria fantasiado que o pai fizesse quando ela era criança.

Tomemos também a hipótese de que a transferência ocorre por uma necessidade psíquica de encontrar na atualidade uma situação capaz, de continência, desenvolvimento e resolução da cena conflitiva original.[239]

No caso de Ruth, há uma armadilha diferente a ser desmontada na transferência. Não é só uma questão de dizer "nós não vamos fazer o que você fantasiou com seu pai, mas faça isso com outro alguém". A questão de Ruth está em compreender que o erotismo na transferência está a serviço da manutenção do conflito e não de sua suposta resolução, isto é, realizar o erotismo com a pessoa admirada resultará em desprezo por essa pessoa.

Haveria muito o que se pensar sobre os desdobramentos desta situação peculiar de transferência. Aqui, cabe no momento assinalar que o trabalho corporal (no caso, a massagem) foi utilizado com a intenção específica de provocar a irritação que Ruth havia relatado naquela consulta.

RICARDO, 34 anos, solteiro. Procurou-me para dar continuidade ao seu processo psicoterapêutico. Já fez psicoterapia corporal com uma mulher e agora procura um psicoterapeuta homem.

Passadas quatro consultas de entrevista, proponho a Ricardo uma vivência corporal. Realizo com ele a experiência das mãos em concha nos ouvidos. Depois de 15 minutos, peço a ele que conte o que se passou. Ele diz que logo no início sentiu um cheiro de café (de fato, eu havia bebido café). E que esse aroma, inicialmente de café, transformou-se em cheiro de amendoim. Esse novo cheiro trouxe à lembrança a imagem de uma paçoca (doce de amendoim), e esta conectou-se imediatamente à figura de seu pai.

Da associação entre a paçoca e seu pai, Ricardo recorda que era esse o doce que seu pai trazia para ele e seus irmãos quando voltava do trabalho. Lembra que era muito bom.

Nas entrevistas iniciais, Ricardo havia contado a respeito de sua família. Sobre o pai, disse que tiveram pouco relacionamento:

o trabalho do pai o obrigava a estar muito ausente (até nos fins de semana). Embora Ricardo só tenha ficado órfão na idade adulta, seu relacionamento com o pai sempre foi distante.

Com esses elementos iniciais, pudemos compreender a linha associativa café-amendoim-paçoca-pai. O elemento atual (cheiro de café) disparou a cadeia associativa de forma a chegar ao transferido (pai). Ficou claro para Ricardo por que ele havia procurado um psicoterapeuta homem: realizar, na situação atual, a relação não concluída com o pai.

A respeito do cheiro de café como disparador das associações, podemos pensar que é um elemento encontrado ao acaso. O elemento poderia ter sido a temperatura de minhas mãos, meu tom de voz, um detalhe da sala... O que Ricardo procura é uma figura masculina à qual possa transferir sua relação com o pai. Assim, a partir de qualquer elemento, realiza-se uma cadeia associativa (maior ou menor) e chega-se ao elemento a ser transferido.

TELMA, 28 anos, casada, sem filhos. É professora de música e está terminando a pós-graduação. Procura terapia porque está com dificuldades de apresentar seu trabalho de conclusão de curso. Desse trabalho, consta a apresentação de um recital ao piano e ela reclama da falta de memória: não consegue decorar a partitura para poder se apresentar. Conta que é considerada excelente pianista. Mas diz que toca por partitura e não por ouvido ou, em suas palavras, toca racionalmente, sem se envolver emocionalmente.

A partir desses dois elementos (falta de memória e de envolvimento emocional), proponho a Telma que faça a seguinte experiência: deitada no divã (barriga para cima, pernas dobradas e olhos abertos), ela deve respirar profunda e pausadamente enquanto realiza movimentos de sucção com a boca (como se estivesse mamando).

Passados alguns minutos, Telma interrompe o movimento e começa a chorar de maneira compulsiva. Está com náusea e ânsia de vômito. Tem reflexos de vômitos, mas não consegue vomitar. Depois de alguns minutos, mais calma, relata o que passou: logo no começo do exercício, percebeu que estava constrangida. Não sabia o que aquilo significava, mas mesmo assim resolveu obedecer ao meu pedido. Depois de alguns minutos, lembrou da primeira vez que praticou sexo oral a pedido do namorado. Começou a sentir um pouco de enjoo e então uma cena da infância veio à consciência. Lembrou que o pai costumava levá-la ao quarto (com o irmão mais novo) para se masturbar e para ser masturbado por eles. Interrompeu o exercício (e a lembrança) sem saber se havia chegado a praticar sexo oral com o pai.

Dois dados nos colocam na pista de que essas cenas com o pai não são obra da imaginação de Telma. Seus pais se separaram nessa época e ela desconfia que a mãe tenha descoberto o que se passava. Seu irmão vive fora do país e não mantém contato com a família. Telma tem quase certeza de que ele é homossexual, mas, confessa, nunca conversou a respeito. Ela sabe que o irmão mora com outro homem, mas não se atreve a abordar o assunto. Agora ela percebe o porquê.

As motivações (hipóteses) teóricas que me levaram a propor a vivência de sucção para Telma não entrarão em discussão aqui para não nos desviarmos do foco da transferência. Deixarei apenas consignado que minha ideia de estimular o anel ou segmento oral estava apoiada na suposição de que a falta de memória e o distanciamento emocional de Telma estivessem relacionados a dificuldades de incorporação e sobretudo de digestão (elaboração) de experiências infantis. O sintoma atual (falta de memória nos estudos das partituras) é resultante da recusa de absorver conteúdos.

Na situação clínica, Telma conta que faz o que eu peço. Ela não sabe o que é aquilo, mas faz o que o outro solicita. A situação (alguém lhe pede que sugue) a faz lembrar o transferido (o namorado pediu que ela o sugasse). E essa lembrança a leva a uma experiência mais primitiva com o pai (o transferido original).

Notemos, então, que transferencialmente Telma faz o que peço, mas não se envolve emocionalmente. Assim, também, transferencialmente ela toca o que a partitura diz, mas não coloca o seu sentimento na execução.

Ao repetir de forma contínua o movimento de sucção, Telma vai "cansando" a musculatura da boca (a resistência muscular vai cedendo), permitindo que a memória corporal (até então reprimida pelas tensões musculares crônicas) emerja.

Do ponto de vista econômico (quantitativo), podemos pensar nos seguintes termos: o enorme caudal libidinal de Telma está canalizado para represar a lembrança da experiência traumática infantil. Dada a gravidade e intensidade dessa experiência, supomos uma igual intensidade de carga libidinal (energética) repressora. A consequência caracterial dessa situação é que Telma dispõe de pouca energia para as relações atuais. Obedece, executa a música da partitura, mas está distante. Transferencialmente, a situação não é diferente. Pouco contato comigo e a atenção voltada para o sintoma.

Este caso nos traz a oportunidade de refletir sobre um outro aspecto da abordagem corporal: seu potencial irruptivo.

Vemos como uma simples movimentação de lábios foi capaz de fazer irromper em Telma lembranças impactantes logo no início do tratamento. Quando isso acontece, existe o risco de interrupção do processo, pois a uma experiência intensa sobrevirá uma resistência mais intensa. Aquilo que decide o prosseguimento ou não do tratamento é o vínculo estabelecido entre terapeuta e paciente (daí a importância de muitas consultas antes de qualquer trabalho corporal) e a análise feita sobre o ocorrido.

Considerações finais

Apesar de todas as dificuldades e limitações em fazer uma boa apresentação da clínica psicorporal e da VCA, espero ter proporcionado ao leitor a possibilidade de vislumbrar o potencial psicoterapêutico da abordagem corporal. Pelas cenas clínicas apresentadas, procurei demonstrar a tese segundo a qual a análise da transferência pode ser facilitada pela utilização de recursos corporais na VCA.

Essa facilitação decorre do fato de provocarmos uma intensificação dos estados afetivos do paciente, a partir da movimentação ou manipulação de seu corpo. Como consequência, teremos um aumento de tensão psíquica, a qual impulsionará com maior força para a consciência representações até então inconscientes. Já vimos anteriormente essa dinâmica de intensificação afetiva do paciente. O que eu gostaria de acrescentar a isso são os efeitos dessa intensificação no processo psicoterapêutico.

O mais chamativo no trabalho corporal — e também o mais difícil de descrever — é a facilidade do paciente em estabelecer a relação entre o vivenciado por ele (a lembrança com afeto durante o trabalho corporal) e a situação terapêutica. Em alguns casos, como o de Rosely e o de Ruth, o próprio paciente percebe o que está acontecendo. Em outros, como o de Romilda, o de Marcela e o de Ricardo, a interpretação dada pelo terapeuta é facilmente compreendida. A hipótese explicativa para essa facilitação é de que durante o trabalho corporal o paciente volta sua atenção para o sentir, isto é, sua consciência é tomada predominantemente por sensações e emoções. Esse estado emocional exacerbado pode se conectar diretamente à situação presente (no caso de Nair, a vergonha de estar rebolando para mim) ou a uma lembrança anterior (quando Telma realizou o movimento de sucção, lembrou do namorado e depois do pai). É, portanto, a partir da percepção de seu estado afetivo que o paciente estabelece a ligação entre o atual (cena terapêutica) e o antigo. O paciente percebe que a intensidade do afeto (raiva, medo, vergonha, nojo, amor, ciúme, abandono etc.) é a mesma nas duas situações. Esse "*insight* emocional", tão evidente quanto indescritível, é o ponto de partida para o desenvolvimento da análise da transferência e de conteúdos propriamente dita.

A prática clínica atestou a veracidade da tese. Entretanto, é preciso considerar alguns pontos específicos desta tese geral. Farei a seguir o levantamento de alguns desses itens que considero importantes. Não espero, com isso, esgotar o assunto ou realizar um tratado sobre a transferência. Antes, desejo assinalar questões que possam gerar futuras discussões, pesquisas e estudos a respeito deste importante tema.

O primeiro ponto a ser considerado diz respeito ao potencial da abordagem corporal. Qualquer uma das cenas apresentadas ilustra muito bem que o trabalho corporal, por si só, não elabora nem dissolve a transferência ou qualquer outra questão surgida no processo psicoterapêutico. Ele simplesmente promove o aumento das excitações somáticas e, com isso, intensifica o(s) estado(s) afetivo(s) do paciente. Essa intensificação afetiva — podemos falar em aumento do volume de energia livre no psiquismo — vai se ligar a representações. São essas representações, são essas lembranças afetivamente carregadas que nos interessa resgatar, para então iniciar o trabalho de elaboração da transferência.

Podemos então dizer que a clínica psicorporal é uma clínica de intensidades. O trabalho corporal intensifica a carga energética do complexo. Entretanto, não devemos nos esquecer de que, ao intensificarmos um complexo, estaremos ao mesmo tempo provocando uma intensificação das forças repressoras. No caso de Rosely, e também no caso de Edson, vemos que a defesa contra a lembrança se manifesta em primeiro lugar. Rosely não consegue dizer "eu", e Edson quase tem uma convulsão. Nesses casos, vemos como o trabalho corporal provoca uma excitação, disparando imediatamente a defesa contra ela.

No trabalho corporal, a regra geral é de que as primeiras manifestações são de resistência. Além de Rosely e Edson, vemos também com Romilda e Nair a resistência se apresentando em primeiro lugar. Romilda tem uma primeira lembrança agradável que encobre a cena incômoda. O tédio sentido por Nair é a manifestação da resistência a entrar em contato com a excitação. A exceção à regra pode ser ilustrada pela situação com Ricardo. Sua procura por um "pai analítico", além de muito intensa, não encontrava resistências. Não havia motivo para recriminar seu desejo. Encontrado um elemento atual (o cheiro de café), o desejo manifestou-se.

O capítulo sobre as resistências no trabalho corporal é, sem dúvida, fundamental. Poderíamos explorar cada um dos casos apresentados, de forma a mostrar quanto o trabalho corporal agiliza a emergência das resistências e facilita o trabalho interpretativo sobre elas. Entretanto, como já está bem explicitado, optei por apresentar fragmentos de casos clínicos e não um caso em profundidade.

Mais uma vez, insisto em que a clínica psicorporal carece de estudos a respeito da relação terapeuta-paciente, diferentemente da linha de pesquisa reichiana em biopsicologia, em que o material bibliográfico, além de abundante, apresenta muita riqueza. O objetivo deste trabalho é chamar a atenção para os aspectos relacionais no trabalho psicorporal.

Além das resistências, outro aspecto que merece atenção especial é a questão da atuação. Muitas vezes, a psicoterapia corporal é criticada por realizar uma terapia catártica, sem elaboração de conteúdos. Muito embora a catarse faça parte do cotidiano psicorporal (provocada pela intensificação afetiva como decorrência da atividade corporal), é preciso distinguir a atuação da atividade e ir além da catarse. O que difere a psicoterapia corporal da academia de ginástica e da massagem relaxante é o foco de atenção do terapeuta. Na ginástica e na massagem, os objetivos são a descarga e o relaxamento. Na psicoterapia corporal, esses acontecimentos são elementos de análise. No caso de Ruth, o prazer da massagem não é o ponto de chegada, mas o de partida para a análise da transferência erótica. A atividade não implica necessariamente em atuação. Podemos falar em atuação quando o trabalho terapêutico se satisfaz com a descarga energética e não vai além disso. Mas, insisto, isso não é um limite intrínseco ao trabalho corporal. Depende, em primeira e última instância, do terapeuta, de seus objetivos no trabalho, de seus interesses e limitações.

Voltarei ainda ao tema da atuação (e da gratificação imediata), relacionando-o à questão do olhar e da leitura corporal na psicoterapia. Estas duas passagens também nos darão a oportunidade de verificar mais uma vez que o uso da abordagem corporal, embora agilize o processo psicoterapêutico, não tem, por si só, o poder de resolver todas as questões que estão sendo aqui levantadas. O trabalho associativo e interpretativo, integrado ao trabalho corporal, segue sendo imprescindível.

Tomemos o exemplo de Rosely. Seu erotismo comigo já existia de forma latente. A experiência corporal colocou-a diretamente em uma situação conflitiva: o desejo de se expressar (dizer "eu", gritar) *versus* a vergonha de ser ouvida além das paredes da sala. O aumento da tensão do conflito provocou a lembrança de sua origem (as primeiras relações amorosas). O trabalho corporal foi capaz de proporcionar isso. Mas o estabelecimento da ligação entre a situação atual (comigo) e a situação original (com o namorado) foi feito pela via verbal. Dito mais uma vez, a vivência corporal aumenta a percepção dos estados afetivos e desencadeia lembranças correlatas a esses afetos. Com isso, facilita a recepção da interpretação. E aqui começa o trabalho de elaboração da transferência.

Um outro ponto importante a ser tratado na clínica psicorporal é a questão do olhar. Na clínica verbal, estamos habituados a encontrar resistências relativas à comunicação das associações livres. Nela, o paciente ocupa-se em fazer a censura de seu próprio discurso. Ele teme aquilo que o terapeuta possa vir a recriminar de sua fala: "O que ele vai pensar se eu disser isso?". No trabalho corporal, essa mesma questão (o julgamento, a crítica, o superego transferido para o terapeuta) se faz representar com grande intensidade no ato de olhar.

Durante a prática corporal, óbvio, o paciente está presente de corpo inteiro, se movimenta e se expõe ao olhar do terapeuta. Cabe aqui supor que essa prática dispare imediatamente questões ligadas ao exibicionismo. "O que será que ele está vendo? Será que estou fazendo o movimento correto? Ai, que vergonha!" As cenas de Tamara e Nair servem de ilustração. O que o meu olhar sobre Tamara disparou foi o seu antigo desejo (depois encoberto pela resignação) de ser encontrada pelo olhar dos pais. Para Nair, ser observada "rebolando", possibilitou que ela voltasse a sentir vergonha, e depois prazer em se exibir.

Nas duas cenas mencionadas acima, notamos o quanto o olhar do terapeuta foi importante. A partir dele, e sobre ele, o significado de ser olhado pôde emergir e, então, ser tratado transferencialmente. Essas duas cenas oferecem a oportunidade de ampliarmos um pouco mais a percepção da importância do olhar na psicoterapia corporal.

Na VCA, e sobretudo nas situações corporais, o foco de atenção, tanto do terapeuta quanto do paciente, recai sobre o corpo. O paciente está sendo observado em suas movimentações e, claro, sabe disso. É fundamental que o terapeuta saiba das implicações desse ato no desenvolvimento da relação psicoterapêutica. Se tomarmos o par antitético pulsional exibicionismo – voyeurismo[240] como elemento presente no desenvolvimento psicossexual do ser humano, podemos ter como certa a emergência desse par na situação corporal. E mais ainda, que essa emergência é das primeiras a acontecer na clínica de abordagem corporal.

Nos casos apresentados de Nair e Tamara, a interferência do olhar na relação terapêutica ficou evidente. Eles não devem, porém, nos despistar do fundamental. Em todas as situações de trabalho corporal durante a VCA — e, acredito, em toda psicoterapia corporal —, é importante estarmos atentos à interferência do olhar na relação terapêutica. Quer essa interferência seja notada e assinalada pelo próprio paciente, quer seja conscientizada a partir da interpretação dada pelo terapeuta, ela sempre vai ocorrer. Não existe possibilidade de se permanecer indiferente ao olhar de alguém. Em nosso cotidiano, percebemos como perdemos a naturalidade quando sabemos que estamos sendo observados, filmados ou fotografados. Shilder[241] e Lacan[242] também nos alertam para a importância do olhar do outro na formação e no desenvolvimento da estrutura egoica.

Lembremos um velho chavão da psicologia clínica: cada caso é um caso. Existem casos nos quais a interferência do olhar do terapeuta é mais imediata (Tamara) e outros em que essa interferência só se faz evidente com o decorrer do processo (Nair). Existem também situações nas quais a questão do olhar é absolutamente destrutiva e outras em que ela é mais facilmente assimilável e superável. Mas, em todos os casos, a elaboração da situação de estar sendo observado deve ser parada obrigatória no processo de psicoterapia corporal.

Todo psicoterapeuta (psicanalista ou psicorporalista) deseja ocupar um lugar de neutralidade. Mas todo psicoterapeuta sabe (ou deveria saber) que esse lugar utópico lhe é constantemente negado pelas transferências e projeções que o paciente faz durante o processo psicoterapêutico. Se, na clínica psicanalítica verbal, a transferência passa de obstáculo a alavanca e pedra de toque do tratamento, correlativamente na VCA a elaboração da interferência do olhar do terapeuta deve ser considerada como um ponto nodal da psicoterapia corporal. Não elucidar este ponto é correr o risco de reduzir a interpessoalidade da relação terapêutica a uma mera representação de papéis: o de terapeuta e o de paciente. E, com isso, *atua-se* a transferência.

Uma última observação sobre o olhar na VCA refere-se à leitura corporal. Outro velho chavão, "o corpo não mente", não pode ser tomado em termos absolutos e deve ser entendido com muito mais aspas do que as acima colocadas. O corpo pode mentir, representar, simular, dissimular. Em psicoterapia verbal, vemos pacientes produzirem sonhos, associações e interpretações para os seus terapeutas. Da mesma forma, em psicoterapia corporal também vemos pacientes performáticos, histriônicos e pirotécnicos, realizando coreografias para o deleite do terapeuta. É preciso estar atento e não se deixar iludir com a performance do paciente. Na observação do movimento, é importante perceber se há emoção no gesto ou se o movimento está vazio de afeto. Também é fundamental notar se o paciente está fazendo o movimento de forma mecânica, resistindo assim à emergência das emoções. O singelo depoimento de Eugênio Marer nos oferece a oportunidade de apreciar tanto a atuação defensiva do paciente quanto a intervenção do terapeuta:

> Nas primeiras sessões, meu comentário era "nada a ver", "muito mecânico", "distante", "frio". Mas, lenta e suavemente, fui sentindo as diferenças. O fluxo de energia e sensações que desciam da cabeça para os genitais aumentava a cada dia e eu as sentia produzidas por mim — de dentro para fora. Às vezes, me dava prazer; às vezes angústia — e aí *sentia, não pensava*, sobre as sensações esquecidas de minha infância envolvendo a sexualidade e o prazer. A cada sessão, mais sonhos também se produziam, de significado muito claro. E alguns acidentes de percurso, como o dia em que me pediu para dizer "não" virando a cabeça de um lado para o outro. Comecei a fazer e a gritar cada vez mais forte. Interrompeu-me e disse: "O que está fazendo? Isto aqui não é bioenergética. Do que tem medo? Gritando assim, você está querendo

> evitar suas sensações". Fiquei paralisado. Passei três dias com fortes dores na musculatura da barriga. Continuando a terapia, repetindo o *acting*, fui pouco a pouco sentindo o afrouxamento dessas tensões da camada interna da musculatura até a periferia. Ficou clara a diferença. O que interessava era que eu sentisse e expressasse as minhas emoções primárias e não o reforçamento das atitudes secundárias [...]. No caso, a raiva era uma atitude secundária para encobrir o medo.[243]

Outro tema muito controverso da psicoterapia corporal é o toque (contato corporal entre terapeuta e paciente) e suas implicações na relação transferencial-contratransferencial. Talvez por isso seja o tema menos debatido e o mais preconceituosamente rechaçado pelos psicoterapeutas não corporais. Dizer simplesmente que o contato corporal cancela a distância entre terapeuta e paciente e, portanto, impede a elaboração não resolve. A distância entre a experiência afetiva e sua respectiva elaboração é a distância entre a emoção e o pensamento, entre a pulsão e a representação. É uma distância psíquica, e não física.

Também achata e reduz o toque quem o considera sempre como uma gratificação imediata das pulsões, impedindo, com isso, a emergência das representações. Isso não é verdade. Em primeiro lugar, nem sempre o toque é gratificante. E quando o é, ainda assim existe representação. Mesmo que o contato gratifique, ele só o faz parcialmente. Sua contrapartida é aumentar ainda mais a carga energética. A esse respeito, basta lembrar Freud[244] e sua consideração sobre o prazer prévio, e Reich[245] em sua descrição sobre o mecanismo de anteprazer, em que ambos falam de como as pulsões parciais, ao mesmo tempo em que se gratificam diretamente nas zonas erógenas, também aumentam a carga de excitação geral.

Por outro lado, sabemos que o trabalho verbal, por si só, não garante a ausência de gratificação. Uma interpretação pode muito bem ser tão gratificante e sedutora quanto o contato corporal. Assim, vemos que o ponto central de uma futura discussão a respeito do contato corporal não é a questão do toque em si, mas de suas ressonâncias. Na cena de Ricardo, o contato corporal (e sobretudo a proximidade física: sentir o cheiro de café) desencadeou uma série de associações até chegar à cena de proximidade com o pai. Era essa proximidade que Ricardo queria resgatar na terapia. Importa saber quais destinos interpretativos serão dados às vivências disparadas pelo trabalho corporal. Da mesma forma, com Ruth, o contato corporal propiciou uma intensa vivência erótica e, a partir daí, abriu caminho para a elaboração do erotismo na relação terapêutica.

Procurei apresentar até aqui alguns pontos ou temas que minha experiência clínica em VCA tem sinalizado como essenciais no trabalho de elaboração da transferência. Esses três pontos ou situações propiciadas pela psicoterapia corporal (a saber: a movimentação, o olhar e o contato físico) têm em comum o fato de produzirem um aumento de excitação no paciente. Se agora trocarmos os termos *aumento de excitação* por *exacerbação do erotismo,* teremos um assunto interessante (para não dizer excitante) para discutir. Vejamos então o erotismo, ainda que de forma introdutória, no trabalho corporal, no vínculo terapêutico e na situação transferencial.

Peço ao leitor que considere a seguinte situação. Nos próximos parágrafos, focarei o erotismo apenas em seus aspectos econômico-libidinais. Sabemos muito bem que o erotismo, assim como qualquer outro fenômeno psicossexual, não se reduz a esses aspectos nem acontece de forma isolada e independente de outros eventos intra e interpsíquicos. Destacá-lo tem o sentido de melhor apreciá-lo em funcionamento. Conto também com o fato de o leitor conhecer alguns conceitos de psicanálise, tais como: libido, zona erógena, apoio, pulsões (sexuais e de autoconservação), pulsões parciais e genitais, fases (oral, anal, fálica, genital) etc., para que possamos seguir sem nos desviarmos do tema em demasia.

Recordemos primeiramente nosso referencial teórico. Ele vem de Reich,[246] que por sua vez desenvolveu ao limite as hipóteses teóricas de Freud[247] (pré-thanatos) a respeito do funcionamento psíquico. A primeira hipótese (inspirada na biologia) fala de psiquismo operando a partir do princípio do desprazer-prazer (abreviado para princípio do prazer). Esse princípio reza que todo organismo procura desfazer-se de qualquer situação que tenha alterado seu equilíbrio homeostático, desequilíbrio este percebido como desprazeroso. A sensação de prazer adviria do sucesso da operação realizada nessa busca de reequilíbrio. Esse sucesso está vinculado ao contexto no qual o organismo está inserido (ou dele depende em grande medida). Esse contexto pode permitir, auxiliar, dificultar ou mesmo impedir a realização da ação pretendida. Da relação entre organismo e contexto, o primeiro depreende o princípio de realidade.

A segunda hipótese teórica decorre da interação desses tais princípios no organismo humano e suas consequências em seu desenvolvimento psicossexual. Concordemos, por evidência, sobre a impossibilidade de uma hegemonia total de um dos dois princípios em nossa existência. A hegemonia do princípio do prazer (um hedonismo total, de satisfação imediata de qualquer tensão) é impraticável. De outro lado, a hegemonia do princípio de realidade (considerado aqui como impeditivo da ação do princípio de prazer) significaria a falência, não só do sujeito (psiquismo), mas também do organismo. É, portanto, em meio a satisfações e frustrações de prazeres que nós desenvolvemos e do registro dessas experiências que estratificamos nossas formações caracteriais. E é também esta dinâmica a responsável pelo surgimento do erotismo.

O erotismo é o irmão gêmeo mais novo da fome. Supomos, como Freud,[248] que a fome seja a primeira expressão das pulsões de autoconservação. E que a satisfação dessas pulsões desperte as pulsões sexuais, sentidas na excitação oral. Satisfazer a essa nova excitação, independentemente de sua irmã mais velha (a fome), constitui o protótipo do *que* fazer da existência humana, segundo a doutrina psicanalítica.

Podemos assim pensar no caráter de um indivíduo como a resultante de sua história erótica. Quais os destinos dados ao erotismo? Como encaminhar suas pulsões sexuais (orais, anais, fálicas, genitais)? Quais e quanto dessas pulsões foram gratificadas diretamente? Como foram os processos de sublimação, repressão, formação reativa...? Como é sua relação atual com o seu erotismo? Voltemos à clínica.

Na VCA, o trabalho corporal vai agir diretamente sobre o caráter, isto é, vai mobilizar a história dos conflitos do erotismo e de suas transmutações. Pretendemos (e precisamos saber disso) primeiramente revivescer o caudal erótico (quantidade, intensidade) do paciente, para que ele possa então dar a esse caudal novos destinos (qualidade). Não há dúvida de que para bem investir é importante se saber o quanto se dispõe.

Agora, sabemos também que esse potencial erótico não está livre nem adormecido em um canto longínquo do inconsciente. Pelo contrário, o erotismo não gratificado e não sublimado está em grande parte compromissado em formações de caráter (traços de caráter), em formações reativas e em sintomas. Existe um certo equilíbrio psíquico do paciente, conquistado a duras penas durante sua vida. Esse equilíbrio foi a forma encontrada para livrar a consciência da angústia causada pelo erotismo não tramitado. É de se supor, então, que reativar o erotismo vá encontrar resistências, que também surgirão com intensidade. E, assim como na transferência, na qual sua análise fica facilitada pela percepção da intensidade afetiva vivida no processo corporal, também a análise das resistências é feita a partir de suas percepções, propiciadas pelo trabalho corporal.

Chegamos ao fim deste trabalho. Partimos das fundamentações teóricas da economia sexual e de seus vínculos com a psicanálise. Vimos a proposta psicoterapêutica da VCA para melhor apreciar a apresentação dos casos clínicos. E a partir deles pudemos verificar as possibilidades de ampliação, facilitação e alcance da análise da transferência quando da inserção do trabalho corporal na cena psicoterapêutica.

Da tese central sobre a transferência na VCA, depreendemos algumas particularidades presentes no trabalho corporal: a movimentação corporal; o olhar; o contato corporal. Procuramos perceber o elemento comum entre essas particularidades e sua ação na psicoterapia: o erotismo.

O levantamento dessas particularidades, com o erotismo, teve o intuito de assinalar temas e caminhos para futuras reflexões, dada a importância desses eventos e suas interferências no processo psicoterapêutico. Além disso, a ausência de referências bibliográficas a respeito destes temas não permitiu ir além de algumas conjeturas pessoais. Em todo caso, essa é uma forma de começar. É possível que, com o tempo, esses assuntos tenham o mesmo encaminhamento e tratamento dados à transferência na história da psicanálise: de estorvo e acontecimento periférico a elemento central do processo analítico.

Uma última consideração deve ser feita sobre o assunto. Os elementos aqui assinalados são, sem dúvida, importantes e devem ser muito estudados por todos aqueles que consideram a transferência como dinâmica fundamental do processo psicoterapêutico. Mas também não resta dúvida de que eles não podem ser estudados sem que seja considerada a sua contraparte: a contratransferência. É nela, ou a partir dela, que poderemos compreendê-los. É de sua percepção, elaboração e compreensão que parte a possibilidade de elaboração da transferência. Compreender isso faz a diferença entre realizar um trabalho psicoterapêutico de abordagem corporal e propor uma clínica de massagem e exercícios que não ultrapassam o umbral da catarse, da sugestão e da sedução.

Notas

INTRODUÇÃO

1. Para facilitar a leitura, visto que o termo vegetoterapia caracteroanalítica será mencionado inúmeras vezes durante o texto, passarei a abreviá-lo como VCA.
2. Mezan, R. *À sombra de Don Juan e outros ensaios*. São Paulo: Brasiliense, 1993. p. 79.
3. Freud, S. (1905). "Tres ensayos de teoría sexual". In: *Obras completas*. Buenos Aires: Amorrortu, 1986. v. 7.
4. Freud, S. (1908). "La moral sexual 'cultural' y la nerviosidad moderna". In: *Obras completas*. Buenos Aires: Amorrortu, 1986. v. 9.
5. Freud, S. (1920). "Más allá del principio de placer". In: *Obras completas*. Buenos Aires: Amorrortu, 1986. v. 18.

CAPÍTULO 1

6. Reich, W. (1942). *La fonction de l'orgasme*. Paris: Larche, 1970. p. 12.
7. Wagner, C. M. *Freud e Reich: continuidade ou ruptura?* São Paulo: Summus, 1996.
8. Sharaf, M. *Fury on Earth*. Nova York: St. Martin's Press, 1983. p. 206.
9. Albertini, P. *Reich: História das ideias e formulações para a educação*. São Paulo: Ágora, 1994. p. 40-1.
10. Em 1920, já havia em Berlim uma clínica popular fundada por Karl Abraham. Reich, W. (1942). *La fonction...*, p. 65.
11. Albertini, P. *Reich...*,p. 28.
12. Reich, W. (1942). *La fonction...*, p. 65.
13. Albertini, P. *Reich...*, p. 41.
14. Reich, W. (1933). *Análisis del carácter*. Buenos Aires: Paidós, 1975.
15. Reich, W. (1929). *Materialismo dialético e psicanálise*. Lisboa: Presença, 1977.
16. Reich, W. (1932). *O combate sexual da juventude*. Lisboa: Antídoto, 1978.
17. Reich, W. (1934). *O que é a consciência de classe?* Porto: Textos Exemplares, 1976.
18. Reich, W. (1934). *Casamento indissolúvel ou relação sexual duradoura?* Porto: Textos Exemplares, 1975.
19. Reich, W. (1932). *Irrupção da moral sexual repressiva*. São Paulo: Martins Fontes, 1972.

20. Reich, W. (1933). *La psychologie de masse du fascisme*. Paris: Payot, 1977.
21. Reich, W. (1936). *A revolução sexual*. Rio de Janeiro: Zahar, 1979.
22. Reich, W.; Schimdt, V. *Elementos para uma pedagogia antiautoritária*. Porto: Escorpião, 1975.
23. Jacoby, R. *Otto Fenichel: Destins de la gauche freudienne*. Paris: Puf, 1986. p. 78.
24. Albertini, P. *Reich...*, p. 42.
25. Em 1931, Reich fundou a Sexpol (Associação Alemã para uma Política Sexual Proletária), ligada ao Partido Comunista da Alemanha. No ano de 1932, a Sexpol já contava com cerca de 40 mil associados. Boadella, D. *Nos caminhos de Reich*. São Paulo: Summus, 1985. p. 82.
26. Wagner, C. M. *Freud e Reich...*, p. 52.
27. Jacoby, R. *Otto Fenichel...*, p. 118-9.
28. Lohmann, H. M.; Rossenkotter, L. "Psicanálise na Alemanha Hitlerista. Como foi realmente?" In: Katz, C. S. *Psicanálise e nazismo*. Rio de Janeiro: Taurus, 1985. cap. 3, p. 49-55.
29. A Sociedade Alemã de Psicanálise chegou a adotar "uma resolução estipulando que não convinha propor tratamento psicanalítico a pacientes engajados na Resistência". Brecht, K. "A psicanálise na Alemanha nazista". *Revista Internacional da História da Psicanálise*. Rio de Janeiro: Imago, 1988. n. 1, p. 92.
30. O debate em questão foi uma reunião prévia ao congresso psicanalítico de Lucerna, em 1934.
31. Brainin, E.; Kaminer, I. J. "Psicanálise e nazismo". In: Katz, C. S, *Psicanálise e nazismo...* cap. 2, p. 27.
32. Steiner, R. "É uma nova diáspora". *Revista Internacional da História da Psicanálise*. Rio de Janeiro: Imago, 1988. n. 1, p. 260.
33. Mezan, R. *A psicanálise entre guerras 1919-1939*. Apostila do Curso de Pós-Graduação, Pontifícia Universidade Católica de São Paulo (PUC-SP), 1997-8.
34. É importante assinalar o fato de Mezan ressaltar que o intervalo entre as datas de corte de uma e outra era não representa um período estanque. Aquilo que caracteriza a passagem de uma época para outra é um precipitado de acontecimentos que acaba por alterar a dinâmica do movimento psicanalítico.
35. Entre outros, temos os seguintes escritos de Freud no período de 1914-8: "Introducción del narcisismo" (1914), "Trabajos sobre metapsicología" (1915), "Duelo y melancolía" (1917).
36. Entre os mais importantes, destaco: *La interpretación de los sueños* (1900); "Tres ensayos de teoría sexual" (1905); "El chiste y su relación con lo inconsciente" (1905); *Estudios sobre la histeria* (1895) e *Psicopatología de la vida cotidiana* (1901).
37. Freud, S. (1914). "Introducción del narcisismo". In: *Obras completas*. Buenos Aires: Amorrortu, 1986. v. 14.
38. Freud, S. (1915). "Trabajos sobre metapsicología". In: *Obras completas*. Buenos Aires: Amorrortu, 1986. v. 14.

39. Freud, S. (1920). "Más allá del..."

40. Freud, S. (1923). "El yo y el ello". In: *Obras completas.* Buenos Aires: Amorrortu, 1986. v. 19.

41. Freud, S. (1925). "Algunas consecuencias psíquicas de la diferencia anatómica entre los sexos". In: *Obras completas.* Buenos Aires: Amorrortu, 1986. v. 19.

42. Ferenczi, S. (1921). *Prolongaciones de la "técnica activa" en psicoanálisis.* Madri: Espasa-Calpe, 1981. Obras completas, v. 17, tomo 3.

43. Reich, W. Este livro, publicado em 1927, foi relançado, destacando-se o subtítulo *La génitalité dans la théorie et la thérapie des névroses* para se diferenciar do livro *La fonction de l'orgasme*, de 1942: *Premiers écrits. Volume 2.* Paris: Payot, 1982.

44. Os artigos foram reunidos e publicados em 1933 no livro *Análise do caráter.*

45. Roazen, P. *Freud e seus discípulos.* São Paulo: Cultrix, 1978. p. 505.

46. Freud, A. (1936) *O ego e os mecanismos de defesa.* Rio de Janeiro: Civilização Brasileira, 1982.

47. Steiner, R. "É uma nova diáspora..., p. 261.

48. Reich, W. *Passion de jeunesse.* Paris: L'arche, 1989. p. 109.

49. *Ibidem*, p. 108.

50. Reich, W. (1942) *La fonction...*, p. 32.

51. *Ibidem*, p. 36.

52. Estes artigos foram reunidos e publicados com o título de *Premiers écrits. Volume 1.* Paris: Payot, 1976.

53. Reich, W. (1927). *La génitalité...*

54. Embora Freud jamais tenha citado Reich diretamente em sua produção científica, é possível identificar a crítica feita pelo primeiro ao segundo ao não reconhecer na genitalidade a causa primeira e única das neuroses. Freud, S. (1932). *Nuevas conferencias de introducción al psicoanálisis.* Buenos Aires: Amorrortu, 1986. Obras completas, v. 22, p. 133.

55. Reich, W. (1933). *Análisis...*, p. 157-8.

56. Freud, S. (1905). "Tres ensayos...

57. *Ibidem*, p. 112.

58. Freud, S. (1914). "Introducción del...

59. Freud, S. (1923). "El yo y...

60. Freud, S. (1920). "Más allá del...

61. Freud, S. (1905). "Tres ensayos..., p. 120.

62. Freud, S. (1937). "Análisis terminable e interminable". In: *Obras completas.* Buenos Aires: Amorrortu, 1986. v. 23, p. 229.

63. Freud, S. (1905). "Tres ensayos..., p. 156.

64. *Ibidem*, p. 156.

65. *Ibidem*, p. 198.

66. *Ibidem*, p. 142.

67. *Ibidem*, p. 187.

68. *Ibidem*, p. 142.

69. *Ibidem*, p. 171.
70. Reich, W. (1938). *The bions experiments*. Nova York: Farrar, Strauss and Giroux, 1979.
71. Reich, W. (1951). *La superposition cosmique*. Paris: Payot, 1974.
72. Freud, S. (1905). "Tres ensayos..., p. 179.
73. Bagemihl, B. *Biological exuberance*. Nova York: St. Martin's Press, 1999.
74. Reich, W. (1933). *Análisis...*, p. 291.
75. Freud, S. (1905). "Tres ensayos..., e também Freud, S. (1915) "Trabajos sobre metapsicología...
76. Freud, S. (1905). "Tres ensayos..., p. 198.
77. Roudinesco, E. *A história da psicanálise na França* (2 v.). Rio de Janeiro: Zahar, 1989. p. 59.
78. Reich, W. (1953). *Le meurtre du Christ*. Paris: Champ Libre, 1979. p. 54.
79. Ferenczi, S. (1925). *Psicoanálisis de las costumbres sexuales*. Madri: Espasa-Calpe, 1981. Obras completas, v. 17, tomo 3, p. 389.
80. Fenichel, O. *Teoria psicanalítica das neuroses*. Rio de Janeiro: Atheneu, 1981. p. 76.
81. Reich, W. (1942). *La fonction...*
82. Reich, W. (1948). *La biopathie du cancer*. Paris: Payot, 1975.
83. Reich, W. (1942). *La fonction...*, p. 292.
84. Reich, W. (1948). *La biopathie...*, p. 180.
85. Nesse sentido, veja-se o excelente trabalho de Hanns, L. *A teoria pulsional da clínica de Freud*. Rio de Janeiro: Imago, 1999.
86. Freud, S. (1923). "El yo y...
87. Reich, W. (1942). *La fonction...*, p. 134.
88. *Ibidem*, p. 134.
89. Freud, S. (1920). "Mas allá del...
90. Freud, S. (1924). "El problema económico del masoquismo". In: *Obras completas*. Buenos Aires: Amorrortu, 1986. v. 19.
91. Freud, S. (1926). "Inhibición, síntoma y angustia". In: *Obras completas*. Buenos Aires: Amorrortu, 1986. v. 20.
92. Dadoun, R. *Cent fleurs pour Wilhelm Reich*. Paris: Payot, 1975. p. 107.
93. *Ibidem*, p. 112.
94. Freud, S. (1908). "Carácter y erotismo anal". In: *Obras completas*. Buenos Aires: Amorrortu, 1986. v. 9.
95. Freud, S. (1923). "El yo y...
96. Freud, S. (1905). "Tres ensayos..., p. 218.
97. Freud, S. (1923). "El yo y..., p. 30-1.
98. *Ibidem*, p. 18-9.
99. *Ibidem*, p. 27.
100. Reich, W. (1933). *Análisis...*, p. 71.
101. *Ibidem*, p. 158.
102. *Ibidem*, p. 160.

103. Freud, S. (1923). "El yo y..."

104. Reich, W. (1933). *Análisis...*, p. 174.

105. Dadoun, R. *Cent fleurs...*, p. 110.

106. Freud, S. (1923). "El yo y..., p. 19.

107. Reich, W. (1933). *Análisis...*, p. 32.

108. *Ibidem*, p. 28.

109. *Ibidem*, p. 159.

110. *Ibidem*, p. 22.

111. *Ibidem*, p. 20.

112. *Ibidem*, p. 14.

113. Higgins, M.; Raphael, C. *Reich parle de Freud.* Paris: Payot, 1972. p.60.

114. Wagner, C. M. *Freud e Reich...*, p. 73-83.

115. Freud, S. (1923). "Dos artículos de enciclopedia: 'Psicoanálisis' y 'Teoría de la libido'". In: *Obras completas.* Buenos Aires: Amorrortu, 1986. v. 17.

116. *Ibidem*, p. 233.

117. Freud, S. (1938). "Esquema del psicoanálisis". In: *Obras completas.* Buenos Aires: Amorrortu. 1986. v. 23, p. 182.

118. Reich, W. *Beyond psychology...*, p. 123.

119. *Ibidem*, p. 140.

120. Placzek, B. R. *Record of friendship — The correspondence between Wilhelm Reich and A. S. Neill (1936-1957).* Nova York: Farrar, 1981. p. 3.

121. *Ibidem*, p. 13.

122. Sharaf, M. *Fury on...*, p. 236.

123. Reich, W. *La fonction...*, p. 256.

124. Reich, W. *Analisis...*, p. 11.

125. Reich, W. *La génitalité...*, p. 13.

126. Freud, S. (1924). "El problema económico...

127. Freud, S. (1926). "Inhibición...

128. Freud, S. (1915). "Pulsiones y destinos de pulsión". In: *Obras completas.* Buenos Aires: Amorrortu, 1986. v. 14, p. 117.

129. *Ibidem*, p. 118.

130. *Ibidem.*

131. Freud, S. (1915). "La represión". In: *Obras completas.* Buenos Aires: Amorrortu, 1986. v. 14, p. 146.

132. Reich redigiu os textos sobre técnica psicanalítica em 1928-9. Segundo seu relato, esses textos são o resultado da sua experiência clínica dos últimos quatro anos. Reich, W. (1933) *Análisis...*, p. 17.

133. Briehl, W. *Historia del psicoanálisis.* Buenos Aires: Paidós, 1968. v. 6.

134. Reich, W. (1933). *Análisis...*, p. 14.

135. Reich, W. (1942). *La fonction...*, p. 256.

136. Reich, W. (1933). *Análisis...*, p. 30.

137. *Ibidem*, p. 30-1.

138. Reich, W. (1933). *Análisis...*, p. 301-60.
139. *Ibidem*, p. 301.
140. *Ibidem*, p. 344.
141. *Ibidem*, p. 347-8.
142. *Ibidem*, p. 354.
143. *Ibidem*, p. 331.
144. *Ibidem*, p. 317-8.
145. Toniolo, R. M. *O espaço deste tempo: uma leitura da intimidade do adolescente.* Rio de Janeiro, 1980. 150f. Dissertação (mestrado) — Departamento de Psicologia, PUC-RJ.
146. Este trabalho pode ser encontrado em Reich, W. (1933). *Análisis...*, *op. cit.*, p. 219-55.
147. Sharaf, M. *Fury On...*, p. 206-59.
148. Reich, W. (1938). *The bioelectrical investigation of sexuality and anxiety.* Nova York: Farrar, 1982.
149. Reich, W. (1938). *The bion experiments.* Nova York: Farrar, 1979.
150. Reich, W. (1942). *La fonction...*, p. 14.
151. Reich, W. (1942). *La fonction...*, p. 259.
152. *Ibidem*, p. 260.
153. Reich, E.; Zornànszky, E. *Energia vital pela bioenergética suave.* São Paulo: Summus, 1998. p. 15-6.
154. Convém lembrar que as datas não representam períodos estanques. Mesmo Reich, em 1945, utiliza tanto o termo VCA quanto orgonoterapia. Só em 1948 fala exclusivamente em orgonoterapia. Veja-se Reich, W. (1933). *Análisis...*, p. 9 e 13.
155. Reich, W. (1925) "Le tic psychogène, équivalent de la masturbatión". In: *Premiers écrits. Volume I.* p. 189-207.
156. Reich, W. (1932). "El caracter masoquista". In: *Análisis...*, p. 219-55.
157. Reich, W. (1948). "La escisión esquizofrénica". In: *Análisis...*, p. 399-501.
158. Reich, E.; Zornànszky, E. *Energia vital...*, p. 15.
159. Reich, W. (1948). *Escuta, Zé Ninguém.* Lisboa: Dom Quixote, 1974.
160. Higgins, M. B.; Raphael, C. M. *Reich parle...*, p. 62.
161. Bean, O. *O milagre da orgonoterapia.* Rio de Janeiro: Artenova, 1973.
162. Reich, W. *Análisis...*, p. 9.
163. Sharaf, M. *Fury on...*, p. 236.
164. Ferreira, A. B. de H. *Novo dicionário da língua portuguesa.* Rio de Janeiro: Nova Fronteira, 1986.
165. Lowen, A. (1958). *O corpo em terapia.* São Paulo: Summus, 1977.
166. *Ibidem*, p. 13.
167. *Ibidem*, p. 33.
168. *Ibidem*, p. 321-2.
169. *Ibidem*, p. 147.
170. Lowen, A. (1975). *Bioenergética.* São Paulo: Summus, 1982.

171. *Ibidem*, p. 35.
172. *Ibidem*, p. 15.
173. *Ibidem*, p. 27.
174. *Ibidem*, p. 36.
175. BOYESEN, G. (1985). *Entre psique e soma*. São Paulo: Summus, 1986.
176. *Ibidem*, p. 25.
177. *Ibidem*, p. 30.
178. *Ibidem*, p. 35.
179. *Ibidem*, p. 36.
180. *Ibidem*, p. 41.
181. *Ibidem*.
182. RAKNES, O. (1970). *Wilhelm Reich e a orgonomia*. São Paulo: Summus, 1988. p. 50.
183. BOYESEN, G. (1985). *Entre psique*..., p. 34.
184. *Ibidem*, p. 50.
185. BOADELLA, D. (1985). *Correntes da vida*. São Paulo: Summus, 1992. p, 9.
186. BOYESEN, G. (1985). *Entre psique*..., p. 34.
187. *Ibidem*, p. 41.
188. *Ibidem*, p. 140.
189. *Ibidem*, p 106.
190. *Ibidem*, p. 128.
191. *Ibidem*, p. 107.
192. BOADELLA, D. (1985). *Correntes*..., p. 10.
193. *Ibidem*, p. 10.
194. *Ibidem*, p. 75-87.
195. *Ibidem* p. 89-99.
196. *Ibidem*, p. 101-13.
197. *Ibidem*, p. 9.
198. *Ibidem*, p. 15.
199. *Ibidem*, p. 17.
200. BOADELLA, D. "Psicoterapia somática: suas raízes e tradições". In: KIGNEL, R. (org.). *Energia e caráter*. São Paulo: Summus, 1997. v. l.
201. REICH, W. (1942). *La fonction*..., p. 11.
202. GIBIER, L. "A liberdade em Reich e as diferentes concepções da clínica". *Revista da Sociedade Wilhelm Reich*. Porto Alegre, n. 3, p. 102-13, 1999.
203. BOADELLA, D. (1985). *Correntes*..., p. 77-9.
204. WAGNER, C. M. *Freud e Reich*..., p. 27-9.
205. CÂMARA, M. V. A. *Para além do claustro bipessoal: proposições teóricas para uma psicoterapia grupal de base reichiana*. Rio de Janeiro, 1999. 193f. Tese (doutorado) — Instituto de Psicologia, Departamento de Psicologia Social e da Personalidade, Universidade Federal do Rio de Janeiro (UFRJ).

CAPÍTULO 2

206. Laplanche, J.; Pontalis, J. B. *Vocabulário da psicanálise.* São Paulo: Martins Fontes, 1970. p. 668-9.
207. Freud, S. (1905). "Fragmento de análisis de um caso de histeria". In: *Obras completas.* Buenos Aires: Amorrortu, 1986. v. 7, p. 102.
208. *Ibidem*, p. 102.
209. A esse respeito, veja-se o excelente artigo de Bilibio, L. F.; Fragoso, R. R.; Vitola; L. F.; Weinmann, A. O. "A transferência em psicoterapia reichiana". *Revista da Sociedade Wilhelm Reich.* Porto Alegre, n. 3, 1999, p. 9-21. Veja-se também Baremblitt, G. *Cinco lições sobre a transferência.* São Paulo: Hucitec, 1996.
210. Mezan, R. *Tempo de muda.* São Paulo: Cia. das Letras, 1998. p. 318.
211. Freud, S. (1915). "La represión..., p. 147-8.
212. Freud, S. (1914). "Recordar, repetir y reelaborar". In: *Obras completas.* Buenos Aires: Amorrortu, 1986. v. 12. p. 151-2.
213. Freud, S. (1895). *Estudios sobre...*
214. Green, A. *Narcisismo de vida, narcisismo de morte.* São Paulo: Escuta, 1988. p. 22.
215. Baremblitt, G. *Cinco lições...*, p. 14-5.
216. Mezan, R. "A transferência em Freud: Apontamentos para um debate". In: Slavutzky, A. (org.). *Transferências.* São Paulo: Escuta, 1991. p. 48-9.
217. *Ibidem*, p. 48.
218. *Ibidem*, p. 49.
219. Bilibio, L. F.; Fragoso, R. R.; Vitola, E. S.; Weinmann, A. "A transferência... p. 10.
220. Freud, S. (1905). "Fragmento de análisis...", p. 103.
221. Além do artigo "O uso da interpretação dos sonhos na psicanálise" (1911), fazem parte desses trabalhos sobre técnica os artigos: "A dinâmica da transferência" (1912), "Recomendações ao médico que pratica a psicanálise" (1912), "O início do tratamento (1913), "Sobre a *fausse reconnaissance* no trabalho psicanalítico" (1914), "Recordar, repetir e elaborar" (1914) e "Observações sobre o amor de transferência" (1915).
222. Mezan, R. "A transferência em..., p. 55.
223. Laplanche, J. *A tina — A transcendência da transferência.* São Paulo: Martins Fontes, 1993. p. 82-3.
224. Barros, E. M. R. "O conceito da transferência". In: Slavutzky, A. (org.) *Transferências.* São Paulo: Escuta, 1991. p. 131.
225. Freud, S. (1923). "Dos artículos de enciclopédia..., p. 243.
226. Mezan, R. "A transferência em..., p. 57.
227. *Ibidem*, p. 72.
228. Freud, S. (1915) "Pulsiones y destinos..., p. 119.
229. Reich, W. (1933) *Análisis...*, p. 35-6.
230. Freud, S. "El yo y..."
231. Freud, S. (1901). *Psicopatología de la...*

232. WAGNER, C. M. "O humorístico e sua relação com a orgonomia". In: COTTA, J. A. GIBIER, L.; MALUF JR., N. (orgs.). *Reich contemporâneo — Perspectivas clínicas e sociais.* Rio de Janeiro: Sette Letras, 1998. p. 56-62.

233. REICH, W. (1933). *Análisis...*, p. 163.

CAPÍTULO 3

234. LALANDE, A. (1926) *Vocabulaire technique et critique de la philosophie.* Paris: PUF, 1985. p. 1105.

235. *Ibidem*, p. 623.

236. MEZAN, R. *Escrever a clínica.* São Paulo: Casa do Psicólogo. 1998. p. 166.

237. Tédio, sono, ausência de sensações, dificuldade em se perceber durante o trabalho corporal são considerados como manifestações de resistência.

238. Embora esta atuação signifique especificamente uma projeção, solicito ao leitor que atente para a transferência do conflito de Ruth para a relação comigo.

239. Conforme capítulo sobre aspectos econômicos da transferência.

CONSIDERAÇÕES FINAIS

240. FREUD, S. (1905). "Tres ensayos...

241. SHILDER, P. (1935). *L'image du corps.* Paris, Gallimard, 1977.

242. LACAN, J. (1949). "Le stade du miroir comme formateur de la fonction du Je". In: *Écrits I.* Paris: Seuil, 1966.

243. NAVARRO, F. *Terapia reichiana.* São Paulo: Summus, 1987. Apresentação de Eugênio Marer, p. 8-9.

244. FREUD, S. (1905). "Tres ensayos...

245. REICH, W. (1942). *La fonction...*

246. REICH, W. (1933). "Notas sobre el conflicto...". In: *Análisis...*

247. FREUD, S. (1911). "Formulaciones sobre los dos principios del acaecer psíquico". In: *Obras completas.* Buenos Aires: Amorrortu, 1986. v. 12.

248. FREUD, S. (1905). "Tres ensayos...

Referências bibliográficas

1. LIVROS DE WILHELM REICH

Catalogar as obras de Reich não é das tarefas mais simples. Além de ter produzido muitos textos, ele morou em diferentes países e escreveu, nos tempos de exílio, com diversos pseudônimos. Alguns de seus artigos transformaram-se posteriormente em capítulos de livros. Há ainda o caso de dois de seus livros terem o mesmo nome: *A função do orgasmo* de 1927 e de 1942. Enquanto este último permaneceu com o nome oficial de *A função do orgasmo*, o primeiro vem recebendo diferentes nomes em diferentes traduções: em francês, tem o título de *La génitalité dans la théorie et la thérapie des névroses*; em inglês, *Genitality in the theory and therapy of neurosis*; em português, *Psicopatologia e sociologia da vida sexual.*

Como não existe uma obra completa oficial de Reich, escolhi apresentar os textos em ordem cronológica de produção da escrita, e não em ordem de publicação. Assim, a primeira data entre parênteses é relativa ao ano em que o texto foi escrito (salvo quando a data da primeira publicação é próxima da data da produção).

Exceção à regra é o livro *Análise do caráter*, cuja primeira edição é de 1933. Este livro contém artigos de 1928, 1929 e 1930. Para a segunda edição (1945), foi acrescentado um texto de 1934-5. E, na terceira edição (1948), foram inseridos artigos escritos em 1945. Entretanto, *Análise do caráter* segue tendo o ano de 1933 como data de referência.

(1919-22) *Passion de jeunesse*. Paris: L'arche, 1989.
(1921-5) *Premiers écrits. Volume 1*. Paris: Payot, 1976.
(1927) *Premiers écrits. Volume 2 — La génitalité dans la théorie et la thérapie des névroses*. Paris: Payot, 1982. [Ed. bras.: *Psicopatologia e sociologia da vida sexual*. 2. ed. São Paulo: Global, 2000.]
(1929) *Materialismo dialéctico e psicanálise*. Lisboa: Presença, 1977.
(1932) *Irrupção da moral sexual repressiva*. São Paulo: Martins Fontes, 1972.
(1932) *O combate sexual da juventude*. Lisboa: Antídoto, 1978.
(1933) *La psychologie de masse du fascisme*. Paris: Payot, 1977. [Ed. bras.: *Psicologia de massas do fascismo*. 3. ed. São Paulo: Martins Editora, 2019.]
(1933) *Análisis del caracter*. Buenos Aires: Paidós, 1975. [Ed. bras.: *Análise do caráter*. 3. ed. São Paulo: Martins Editora, 2020.]
(1934) *O que é a consciência de classe?* Porto: Textos Exemplares, 1976.
(1934) *Casamento indissolúvel ou relação sexual duradoura?* Porto: Textos Exemplares, 1975.
(1934-9) *Beyond psychology — Letters and journals 1934-1939*. Nova York: Farraus, 1994.
(1936) *A revolução sexual*. Rio de Janeiro: Zahar, 1979.
(1936-57) *Record of friendship — The correspondence of Wilhelm Reich and A. S. Neil*. Org. de B. R. Placzer. Nova York: Farrar, 1981.
(1938) *The bion experiments*. Nova York: Farrar, 1979.
(1938) *The bioelectrical investigation of sexuality and anxiety*. Nova York: Farrar, 1982.
(1942) *La fonction de l'orgasme*. Paris: L'arche, 1978. [Ed. bras.: *A função do orgasmo*. São Paulo: Brasiliense, 2004.]
(1948) *Escuta, Zé Ninguém*. Lisboa: Dom Quixote, 1974.
(1948) *La biopathie du cancer*. Paris: Payot, 1975. [Ed. bras.: *A biopatia do câncer*. São Paulo: WMF Martins Fontes, 2009.]
(1949) *L'ether, meu et le diable*. Paris: Payot, 1973.
(1950) *Crianças do futuro*. Tradução livre. Datilografado.
(1952) *Reich parle de Freud*. Org. de M. Higgins e C. Raphael. Paris: Payot, 1972.
(1951) *La superposition cosmique*. Paris: Payot, 1974.
(1953) *Les hommes dans l'État*. Paris: Payot, 1978.
(1953) *Le meurtre du Christ*. Paris: Champ Libre, 1979. [Ed. bras.: *O assassinato de Cristo*. 5. ed. São Paulo: Martins Editora, 1999.]
(1954) *Core*. Tradução livre. Datilografado.
(1957) *Contato com o espaço*. Tradução livre. Datilografado.

2. LIVROS DE REICH EM COLABORAÇÃO COM OUTROS AUTORES

Estes livros em que Reich aparece como coautor são, na verdade, livros feitos por editores que utilizaram alguns artigos dele em suas coletâneas. Editorialmente, o nome de Reich é mais conhecido do que o dos outros autores, razão pela qual aparece como coautor.

Reich, W.; Reich, A. *Se teu filho te pergunta*. Rio de Janeiro: Espaço Psi, 1980.
Schmidt, V.; Reich, W. *Psicanálise e educação*. Lisboa: J. Bragança, 1975.
______. *Elementos para uma pedagogia antiautoritária*. Porto: Escorpião, 1975.

3. LIVROS DE SIGMUND FREUD

Os artigos de Freud foram extraídos das obras completas publicadas pela Amorrortu Editores, Buenos Aires, 1986.*

(1895) *Estudios sobre la histeria*. v. 2. [*Estudos sobre a histeria*. v. 2]
(1900) *La interpretación de los sueños*. v. 4 e 5. [*A interpretação dos sonhos*. v. 4]
(1901) *Psicopatología de la vida cotidiana*. v. 6. ["Psicopatologia..." v. 5]
(1905) "Fragmento de análisis de un caso de histeria". v. 7. ["Análise fragmentária..." v. 6]
(1905) "Tres ensayos de teoría sexual". v. 7. ["Três ensaios..." v. 6]
(1905) *El chiste y su relación con el inconsciente*. v. 8. [*O chiste*... v. 7]
(1908) "Carácter y erotismo anal". v. 9. ["Caráter e erotismo anal". v. 8]
(1908) "La moral sexual 'cultural' y nerviosidad moderna". v. 9. ["A moral..." v. 8]
(1912) "Sobre la dinámica de la transferencia". v. 12. ["A dinâmica..." v. 10]
(1914) "Introducción del narcisismo". v. 14. ["Introdução ao..." v. 12]
(1915) "Puntualizaciones sobre el amor de transferencia". v. 12. ["Observações..." v. 10]
(1915) "Trabajos sobre metapsicología". v. 14. ["Ensaios de..." v. 12]
(1915) "Pulsiones y destinos de pulsión". v. 14. ["Os instintos e seus destinos". v. 12]
(1915) "La represión". v. 14. ["A repressão". v. 12]
(1916) *Conferencias de introducción al psicoanálisis* (27a.). v. 16. [*Conferências*... v. 13]
(1917) "Duelo y melancolía". v. 14. ["Luto e melancolia". v. 12.]
(1920) "Mas allá del principio de placer". v. 18. ["Além do princípio..." v. 14]
(1923) "El yo y el ello". v. 19. ["O eu e o id". v. 16]
(1923) "Dos artículos de enciclopedia: 'Psicoanálisis' y 'Teoría de la libido'". v. 18. ["Dois artigos para a..." v. 15]
(1924) "El problema económico del masoquismo". v. 19. ["O problema..." v. 16]

* Entre colchetes, indicamos o volume em que se encontra o referido artigo na edição brasileira das Obras completas de Freud (São Paulo: Companhia das Letras, 2010-) [N. E.]

(1925) "Algunas consecuencias psíquicas de la diferencia anatómica entre los sexos". v. 19. ["Algumas consquências..." v. 16]
(1926) "Inhibición, síntoma y angustia". v. 20. ["Inibição, sintoma e angústia". v. 17]
(1937) "Análisis terminable e interminable". v. 23. ["Análise terminável..." v. 19]
(1938) "Esquema del psicoanálisis". v. 23. ["Compêndio de psicanálise". v. 19]

4. OUTROS AUTORES

Abraham, K. (1925). *Étude psychanalytique de la formation du caractère.* Paris: Payot, 1965. Obras completas, v. 2.
Albertini, P. *Reich: História das ideias e formulações para a educação.* São Paulo: Ágora, 1993.
Bagemihl, B. *Biological exuberance.* Nova York: St. Martin's Press, 1999.
Baremblitt, G. *Cinco lições sobre a transferência.* São Paulo: Hucitec, 1996.
Bean, O. *O milagre da orgonoterapia.* Rio de Janeiro: Artenova, 1973.
Bergman, M. S.; Hartman, F. R. (orgs.). *The evolution of psychoanalytic technique.* Nova York: Columbia University Press, 1976.
Boadella, D. *Nos caminhos de Reich.* São Paulo: Summus, 1985.
______. (1985). *Correntes da vida.* São Paulo: Summus, 1992.
Boyesen, G. (1985). *Entre psique e soma.* São Paulo: Summus, 1986.
Câmara, M. V. A. *Para além do claustro bipessoal: produções teóricas para uma psicoterapia grupal de base reichiana.* Rio de Janeiro: 1999. 193f. Tese (doutorado) — Instituto de Psicologia, Departamento de Psicologia Social e da Personalidade, Universidade Federal do Rio de Janiero (UFRJ).
Dadoun, R. *Cent fleurs pour Wilhelm Reich.* Paris: Payot, 1975.
Etchegoyen, R. H. *Fundamentos da técnica psicanalítica.* Porto Alegre: Artes Médicas, 1987.
Fenichel, O. *Teoria psicanalítica das neuroses.* Rio de Janeiro: Atheneu, 1981.
Ferenczi, S. (1921). *Prolongaciones de la "técnica activa" en psicoanálisis.* Madri: Espasa-Calpe, 1981. Obras completas, v. 17, tomo 3.
______. (1925). *Psicanalisis de las costumbres sexuales.* Madri: Espasa-Calpe, 1981. Obras completas, v. 17, tomo 3.
Ferreira, A. B. de H. *Novo dicionário da língua portuguesa.* Rio de Janeiro: Nova Fronteira, 1986.
Freud, A. (1936). *O ego e os mecanismos de defesa.* Rio de Janeiro: Civilização Brasileira, 1982.
Gentis, R. *Leçons du corps.* Paris: Flammarion, 1980.
Hanns, L. A. *A teoria pulsional na clínica de Freud.* Rio de Janeiro: Imago, 1999.
Jacoby, R. *Otto Fenichel: destins de la gauche freudienne.* Paris: Puf, 1986.
Katz, C. S. (org.). *Psicanálise e nazismo.* Rio de Janeiro: Taurus. 1985.
Keleman, S. *Amor e vínculos.* São Paulo: Summus, 1996.

Lacan, J. (1949). *Écrits I — Le stade du miroir comme formateur de la fonction du Je.* Paris: Seuil, 1966.

Lalande, A. (1926) *Vocabulaire technique et critique de la philosophie.* Paris: Puf, 1985.

Langs, R. (org.). *Classics in psychoanalytic technique.* Nova York: Jason Arason, 1981.

Lapierre, A. *Psicoanálisis y analisis corporal de la relación.* Bilbao: Desclée, 1997.

Laplanche, J. *A tina — A transcendência da transferência.* São Paulo: Martins Fontes, 1993.

Laplanche, J. e Pontalis, J. B. *Vocabulário da psicanálise.* Lisboa: Martins Fontes, 1970.

Lowen, A. (1958). *O corpo em terapia.* São Paulo: Summus, 1977.

______. (1975). *Bioenergética.* São Paulo: Summus, 1982.

Mezan, R. *Escrever a clínica.* São Paulo: Casa do Psicólogo, 1998.

______. *Tempo de muda.* São Paulo: Cia das Letras, 1998.

______. *Aspectos da história da psicanálise.* Apostila de Curso de Pós-graduação. São Paulo, Pontifícia Universidade Católica de São Paulo (PUC-SP), 1990.

______. *A psicanálise entre guerras: 1919-1939.* Apostila do Curso de Pós-graduação. São Paulo, Pontifícia Universidade Católica de São Paulo (PUC-SP), 1997-8.

Navarro, F. *La somatopsicodinámica.* Madri: Orgon, 1988. [Ed. bras.: A somatopsicodinâmica. São Paulo: Summus, 1995.]

______. *Metodología de la vegetoterapia-caracteroanalítica.* Valencia: Orgon, 1993. [Ed. bras.: *Metodologia da vegetoterapia caracteroanalítica.* São Paulo: Summus, 1996.]

______. *Somatopsicodinâmica das biopatias.* Rio de Janeiro: Relume-Dumará, 1991.

______. *Terapia reichiana.* São Paulo: Summus, 1987. 2 v.

Racker, H. (1959). *Estudios sobre tecnica psicoanalítica.* Buenos Aires: Paidós, 1979.

Raknes, O. (1970). *Wilhelm Reich e a orgonomia.* São Paulo: Summus, 1988.

Ramírez, J. A. *Psique y soma.* Bilbao: Desclée, 1998.

Reich, E.; Zornànsky, E. *Energia vital pela bioenergética suave.* São Paulo: Summus, 1998.

Roazen, P. *Freud e seus discípulos.* São Paulo: Cultrix, 1978.

Roudinesco, E. *A história da psicanálise na França.* Rio de Janeiro: Zahar, 1989. 2 v.

Sarkissof, J. *Pour une psychanalyse plus active.* Paris: Intégrale, 1992.

Schilder, P. (1935). *L'image du corps.* Paris: Gallimard, 1977.

Sharaf, M. *Fury on Earth.* Nova York: St. Martin's Press, 1983.

Slavutzky, A. (org.). *Transferências.* São Paulo: Escuta, 1991.

Toniolo, R. M. *O espaço deste tempo: uma leitura da intimidade do adolescente.* Rio de Janeiro, 1980. 150f. Dissertação (mestrado) — Departamento de Psicologia, Pontifícia Universidade Católica do Rio de Janeiro (PUC-RJ).

Wagner, C. M. *Freud e Reich: continuidade ou ruptura?* São Paulo: Summus, 1996.

5. PERIÓDICOS E COLETÂNEAS

Arquivos Brasileiros de Psicologia. Cem Anos de Wilhelm Reich. Instituto de Psicologia da UFRJ. Rio de Janeiro, v. 49, n. 2, 1997.

Boletim de Novidades do Centro de Psicanálise Pulsional. Wilhelm Reich Psicanalista. São Paulo, ano VIII, n. 70, 1995.

Cadernos de Psicologia Biodinâmica. Org. de D. Boadella e G. Boyesen. São Paulo: Summus, 1983, v. 1-3.

Cadernos Reichianos. Instituto Sedes Sapientiae. São Paulo, n. 1-2, 1994-7.

Cadernos de Subjetividade. Núcleo de Estudos e Pesquisa da Subjetividade (Programa de Estudos Pós-Graduados em Psicologia Clínica da PUC-SP). São Paulo, v. 5, n. 2, p. 245-589, 1997.

Energia, Caráter e Sociedade. Instituto de Orgonomia Ola Raknes. Rio de Janeiro, n. 1-3, 1990-4.

Energía, Carácter y Sociedad. Escuela Española de Terapia Reichiana. Valencia, v. 1-15, 1983-98.

Energia e caráter. Org. de R. Kignel. São Paulo: Summus, 1997. 2 v.

Orgonociência — Revista de Sexologia Crítica. Instituto Wilhelm Reich do Uruguai. Montevideo, n. l, 1998.

Psicologia Corporal. Centro Reichiano. Curitiba, v. 1-4, 1998-9.

Psicologia e Saúde. Libertas. Recife, n. l, 1996.

Revista da Sociedade Wilhelm Reich. Porto Alegre, n. 1-3, 1997-9.

Revista Internacional da História da Psicanálise. Rio de Janeiro: Imago, 1988, n. 1.

Revista Reichiana. Instituto Sedes Sapientiae. São Paulo, n. 1-8, 1992-9.

www.gruposummus.com.br